大人のための残酷童話

倉橋由美子

新潮社

昔、深い海の底に人魚の王様が住んでゐました。人魚の王様には六人の姫がありました。みな綺麗な人魚たちでしたが、わけても末の姫はひときは美しい人魚で、目は深い海の色そのままの深い青に澄み、胸から頭にかけて鱗《うろこ》の形も一枚一枚見事に整ひ、妖《あや》しいほどの光沢を放つてゐました。その上姉たちとは違つて、人魚には珍しくお臍《へそ》が見え、その下に伸びる脚も長くて恰好がいいので、どんな人間の娘も敵《かな》ふまいと思はれるほどでした。ただ、この末の姫は内気で考へ深い性で、よく瞑想《めいそう》にふけつてゐました。もつとも、魚の目は閉ぢるといふことがないので、そんな時も姫の目は見開かれたままで、ただ目の中に金色の光がともるのでしたが。

人魚姫たちにとつて最大の楽しみはお祖母様から海の外の人間の世界の話を聞くことでした。「お前たちが十八になつたら、海の上に浮かんで船や人間を見るのを許してあげますよ」とお祖母様は言ひました。その話の中でもとりわけ不思議に思はれたのは、海の外の地上の世界では美しい花がよい香りを放つて咲き乱れてゐることや、可憐な声で歌ふ「魚」が風の中を泳ぎまはつてゐることでした。また海の底からは見ることができない「夜の太陽」があつて、岩に上がつた人魚の体をその銀色の光で濡らすといふのも想像を超えて神秘的なことでした。

やがて一番上の姫が十八になつて海の上に浮かび上がつてもいいといふ許しが出ました。人魚のお祖母様はみんなの前でこの姫に、くれぐれも人間に見られないやうにと注意しました。人魚を見た人間の身にはかならず禍ひがふりかかるからだといふのでした。

一番上の姫が帰つてきた時、ほかの姫たちは夢中になつて話を聞きました。末の姫は誰よりも熱心に耳を傾けました。月の明るい夜に海辺の砂の上に坐つて月の光に鱗を濡らしながら町の何百といふ明かりがまたたくのを眺めたり、昼間岩かげに身を隠して町の教会から聞えてくる音楽や鐘の音に胸を躍らせたり、森に近づいてよい香りのする花や歌ふ「魚」の飛びかふのを眺めたりした話を聞くにつけても、この末の姫は、自分が海の上に出ることを許されるまでにまだ五年もあることを思つて気も狂はんばかりでした。

次の年には二番目の姫が十八になり、許されて海の上に浮かびました。そして三番目、四番目、五番目と続いて、いよいよあと一年で末の姫の番がやつてくることになりましたが、姫はその一年がどうしても待ち切れず、たうとうある日、無断で海面近くまで浮かび上がつていきました。

波の間に頭を出してみると、ちやうど日が沈むところで、空は薔薇色に染まり、金色の雲が輝いてゐました。そしてすぐ目の前には、三本マストの船が浮かんでゐました。やがて夕闇が濃くなると、色とりどりの提燈に火がともされ、船の中からは賑やかな音楽と歌声が聞えてきました。人魚姫は船に泳ぎ寄つて、船室の窓から中をのぞいてみました。美しく着飾つた人たちが大勢見えます。その中でもひときは目立つて美しく気品のある青年は若い王子様で、ちやうどこの日に誕生日を迎へて、今お祝ひの宴会が始まつたところでした。王子様の髪は海の底では見られない金色に波打ち、目は海の色と同じ深い青に澄んでゐます。人魚姫は我を忘れて王子様に見入りました。自分もできることなら人間になつて、それも美しい娘になつて、着飾つた人々の間で暮し、あのやうに王子様と踊つたりすることができたらどんなに素晴らしいだらう、といふ思ひが募るにつれて、人魚の身であることも忘れ、窓に顔を押しつけるやうにして船室の中をのぞきこみました。

その時、王子様と目が合つたのです。王子様は何やら叫び、音楽は止まり、人々は凍りついた顔で一斉にこちらを見ました。突然、船が大きく揺れ、燈《ひ》も消えて悲鳴が起りました。いつのまにか嵐が来てゐたのでした。人魚姫はお祖母様の戒めを破つて自分の魚の顔を人間に見られたために禍ひがやつてきたのだと悟りましたが、もうどうすることもできませんでした。恐ろしい稲妻と雷鳴の中で船は波に揉《も》まれて、あつといふまにばらばらに砕けて沈んでしまひました。人魚姫は王子様だけはお助けしようと、気を失つた王子様を波の上に押し上げて泳ぎました。

明け方、嵐は収まりました。人魚姫は王子様を砂浜に寝かせて介抱しようとしましたが、ふと気がつくと、王子様のおなかの下に硬く尖《とが》つた肉の塔が立つてゐました。人魚姫は本能の声にそそのかされて、その余分なものを自分の体の足りないところに収めてみました。それは大層ぴつたりと合ひました。さうやつてゐると、自分が人魚であることも忘れて、体が中から熱くなり、人間に変はつていくやうな気さへするのでした。朝日を浴びた王子様の頬に赤みがさしてきたやうに思はれました。人魚はいつまでも王子様と結ばれたままでゐたかつたのですが、意識が戻つた時この自分の醜い上半身を見られることを思ふと、愕然《がくぜん》として立ち上がりました。

そして泣きながら海の底へ帰つていきました。

人魚姫は姉たちにこの冒険のことを話しましたが、ただ一つ、王子様に最後にしたことだけはどうしても口に出せませんでした。それに自分の本当の気持、つまり今は姉たちも親も棄て、人魚の世界を棄てて人間になりたいといふ気持についてはなほさらのことでした。末の人魚姫はますます無口になり、一人で何かを思ひつめてゐることが多くなりました。

ある日、人魚姫はたうとう決心を固めて海の魔女のところを訪ねました。魔女は渦巻の下の、人間の白骨や船の破片が散らばる暗い海底に住んでゐましたが、人魚姫の顔を見るなり言ひました。

「お前の望みはちやんとわかつてゐるよ。お前は人間と交はつたね。さうしてその魚の頭や胸の代りに人間の女の長い髪や細い腕やふくらんだ乳房が欲しいといふわけだらう」

「その通りですわ。どうか私の望みを叶《かな》へて下さいまし。どんなお礼でも差し上げます」

魔女は不気味な笑ひを浮かべてうなづくと、それでは人魚の不死の魂をもらふことにしようと言ひました。人魚姫は、人間の娘になつてあの王子様のそばへ行くことさへできたらいつ死んでもいいと思ひましたので、即座にその条件を承知しました。

「いいかい、これでお前は人間並みに死ぬ身となる。でも万一あの王子がお前を自分の命よりも愛してくれたなら、その時はお前はまた永遠の魂を手に入れることになる。だがもしも王子がお前を棄ててほかの女を愛するやうになつたなら、その時はお前の体はまた人魚に戻り、やがて死んで泡になる」

魔女はさう言つてから、鍋の中で煮立てた魔法の薬を人魚姫にくれました。その薬を飲むと、鱗は光を失つて泥のやうに剝《は》げ落ち、人魚姫の上半身はみるみる若い娘のものに変はりました。

人魚姫はまつすぐにいつかの浜へと泳いでいきました。そこで待つてゐると、やがて黄昏時《たそがれどき》に、物思はしげな顔をした王子様が王宮から一人で散歩に出て、この浜の方へやつてきました。王子様の頭には嵐の夜に自分を助けてくれた娘のことがおぼろげに残つてゐて、この浜に来ればいつかまたその娘に会へるかもしれないと思つてゐたのでした。それが、目の前に金色の夕日を浴びて裸の娘が立つてゐるのを見て王子様は驚きました。そして人魚姫を抱きしめながら、「君だつたんだね、僕を助けてくれたのは」と叫びました。

それから二人が最初にしたことはあの嵐が去つた朝の時と同じことで、王子様は夢うつつの記憶の霧がいつぺんに晴れ上がつたやうな気がして、この娘こそあの時の娘だといふことをもはや疑ひませんでした。

王子様は人魚姫を連れて宮殿に帰ると、早速きらびやかな着物を着せ、同じ寝室で人魚姫と暮すやうになりました。ところが皮肉なことに、人魚姫はもとが人魚ですから、着飾つて大勢の人の集まる宮殿で踊つたり談笑したりすることは得意ではなく、そこで自然、憧れてゐたきらびやかな着物を身にまとふよりも、人魚の時のままの裸で王子様と抱き合つてゐることが多かつたのです。王子様のさういふ生活ぶりがやがて父王やお妃の心痛の種になり、また重臣たちの顰蹙《ひんしゆく》を買ふやうになつて、宮廷では王子様のために立派な花嫁を迎へる話が進められました。そして海の向かうの国の美しい王女様が花嫁と決まりました。王子様はもともと命の恩人である「漁師の娘」（といふことに人魚姫はなつてゐたのです）と結婚する気はありませんでしたが、お妃を迎へたからといつて追ひ出すつもりもありませんでした。

美しい王女様を一目見るなり王子様はすつかり夢中になり、まもなく盛大な婚儀が行はれることになりました。人魚姫は自分が人間でゐられるのもあと僅かしかないことを知りました。婚礼の晩、人魚姫は自分から海にはひつていきました。月の光を浴びて泳いでいくうちに、魔女が言つた通り、胸にも背中にも鱗が生え、頭は元通りに魚の頭に戻りました。ところが、そこへ賑やかな音楽と花嫁花婿たちを乗せた船がやつてきました。人魚姫はいつかのやうに船室をのぞきこみました。するとそのあとはいつかと同じやうな禍ひが起り、船は嵐の中で砕けて沈んでしまひました。人魚姫は今度は王子様を抱いたまま、海底深く沈んでいきました。恐ろしい渦巻に巻きこまれて気を失つたやうでしたが、気がつくとそこは海の魔女の棲処《すみか》でした。魔女は呆れたやうに人魚姫を見つめ、まだ何か望みがあるのかと尋ねました。

「この王子様と私を一つの体にして、死ぬまで一緒に暮せるやうにして下さいまし。残つた半分づつの体は差し上げますわ」

魔女は、それなら悪い取引でもないと思ひました。王子様の立派な男らしい下半身は魔女としても欲しいものでした。そこで魔女は王子様の上半身に人魚姫の、人間の女と同じ形をした下半身をつなぎ合はせました。
　さて、人々は王子様の奇蹟の生還を喜びました。王子様はやがて年老いた父王に代つて王様になり、立派に国を治めましたが、一生お妃を迎へようとはしませんでした。その訳は誰も知りません。幸せであつたかどうかもほかの人にはわかりません。王子様の体の下半分は人魚姫のもので、魂も別々で、つながつた体の中で魂同士話をすることができました。ただ、人魚姫の要求があると王子様はその手を使つて人魚姫の一番女らしいところを慰めることはできましたが、人魚姫には王子様にお返しをするすべがありませんでした。人魚姫のその部分は王子様の手で慰められると、歓びのしるしか悲しみのしるしか、涙をこぼし、涙はすぐに固まつて真珠になりました。だから王子様の寝台にはいつも真珠が溢れてゐたといふことです。

教訓　人は下半身には恋しないものです

一寸法師の恋

昔、あるところにおぢいさんとおばあさんがありました。仲のいい夫婦でしたが、子宝に恵まれないので、子供が欲しい、子供が欲しいと言ひ暮してゐました。ある日、神様にお参りした時、おぢいさんは、「指にも足りない子供でもようございます、どうか子供を一人、お授け下さいまし」とお願ひしました。

すると間もなく、その願ひの通りに指にも足りない男の子が生まれました。おばあさんは赤ちゃんが小指ほどしかないのが不満で、「お前様が妙なお願ひをしたからぢや、指にも足りないのはお前様の持物だけで沢山ぢや」などと憎まれ口を叩きましたが、仕方なく、「一寸法師」と名を付けてこの男の子を育てました。一寸法師はいつまで経つても大きくなりません。おばあさんはそのことで文句を垂れるし、おぢいさんはその文句を聞かされていやになるし、たうとう二人は一寸法師を追ひ出すことにしました。一寸法師にしてみれば、おばあさんは一寸法師がゐるのも構はず屁《へ》を垂れるし、おぢいさんにはくしやみの度に水洟《みづばな》を浴びせられるし、本当はこんな家を早く出て、もつと可愛がつてくれる家を探さうと思つてゐたところでしたから、早速一本の縫針を刀の代りにして侍らしい出立《いでた》ちを整へ、それから椀と箸をもらひました。そして椀を舟に、箸を櫂《かい》にして川を下り、苦労の末、天子様のゐる都に着きました。

犬や猫に追はれ、子供に踏みつけられさうになりながら、大通を進んでいくと、さる高貴な方のお邸らしい立派な家がありました。玄関に立つて、「頼まう、頼まう」と大声で呼ばはりました。家の人が出ていつてみると、履物の上に小指ほどの人間が立つてゐて、一人前に若い

男の声で名を名乗り、家来にしてこのお邸においで下さいとしきりに頼むのでした。そこで頼まれた家来は一寸法師をつまみ上げて殿様のところへ持つていきました。殿様は一寸法師を掌に受取ると、虫眼鏡でしげしげと観察しました。腰に糸を巻きつけて針の刀を差し、侍風に髪を結つた若い男が掌の上で平伏してゐます。小さいなりに髭《ひげ》まで生やしてゐるのがをかしくて、殿様は思はず笑ひだしてしまひました。

「一寸法師とやら、体が小さいから小僧かと思つたが、立派な大人であるな」と殿様が言ひました。

「さやうでございます。どうか家来にして下さいませ。かならずお役に立つてみせます」

「お前には何ができるのか」

「何でもいたします」

「ならば、そこで踊つてみせよ」

一寸法師は殿様の掌の上で剽《へう》げた踊りを踊つてみせました。皆の者が拍手喝采すると、一寸法師は懐から麦藁《むぎわら》の笛を取出して上手に吹きながら、なほも殿様の掌の上で踊りました。殿様は一寸法師がすつかり気に入つて、お姫様の慰みに与へることにしました。

お姫様は都でも評判の美女でしたが、どういふわけか男嫌ひで、年頃になつても縁談には耳を藉《か》さうともせず、言ひ寄る貴公子には皮肉の針をくるんだ手厳しい歌を返して撃退するのが常でした。物語を読むのが何よりも好きで、読むものがなくなると自分でも筆を執つて物語を書いたりしてゐます。お姫様は一寸法師を珍しい動物のやうに思つたのか、自分の机の上に綺麗な紙で小さな家を作り、貝殻に真綿を入れて一寸法師の寝るところをしつらへてくれました。そして食事の時には一寸法師を掌に載せて、小鳥に餌をやるやうにして飯粒を一つづつ箸で与へ、一寸法師がそれを両手で捧げ持つて食べる様子を飽かず眺めたりします。

このお姫様には独り言を言ふ癖がありました。それまでは誰もゐないところで口に出してゐたことを、一寸法師を相手に話しかけ、一寸法師が面白い答へ方をするので、やがて親にも言へないやうな思ひ切つたことでも一寸法師には平気で言ふやうになりました。例へば、このお姫様は非の打ちどころのない美人で、自分でもそのことに大変な自信を持つてゐる反面、自分の体の肝腎のところに恥しい欠点がありはしないかとしきりに気にしたり、世の男共を愚鈍で覇気のない退屈な動物だとこきおろすかと思へば、鬼のやうな、人間離れのした恐しいものに犯され、身を引裂かれるといふ目に遭つてみたいなどと途方もないことを言ひだすのでした。一寸法師に一枚一枚をめくらせながら本を読んでゐる最中にもそのやうな妄想が湧くと、お姫様は一寸法師を掌に載せて目の高さまで持ち上げては、「一寸法師や、お前はどう思ひます?」とか「お前ならどうします?」とかつぶやきます。そんな時、一寸法師は目の前に迫る二つの満月のやうな瞳の中に吸ひこまれさうな、快い戦慄を覚えるのでした。一寸法師はお姫様に恋をしてしまひました。でもそんな気持は勿論おくびにも出さず、お姫様の前では剽軽《へうきん》な口をきいたりおどけてみせたりして御機嫌を伺ふ態度をとりつづけてゐました。

そのうちに一寸法師はお姫様と一つ布団で寝ることを許されました。もつともこれははなはだ危険な恩恵で、一寸法師にとつては有難迷惑であることがわかりました。といふのは、うつかりお姫様のわきにもぐりこんで眠つてしまふと、元来が余り寝相のいい方ではないらしいお姫様が寝返りを打つた拍子に圧しつぶされさうになつたことが一再ならずあつたからです。それで一寸法師は、お姫様が寝付くまでは耳許にゐて夜伽《よとぎ》の話をしたり、許しを得て乳房の谷間から這ひこんだりしても、お姫様が眠りに落ちたあとは自分の貝殻の寝床に帰るやうにしてゐました。

ある時、一寸法師がお姫様の乳房の丘に這ひ上がつて丘の上の小さな塔に戯れると、お姫様はこのことが大層気に入つたらしく、次の夜からは同じことをするやうにと一寸法師に命ずるのでした。それからさらに、お姫様の体中を探険してどんな戯れをしてもよいといふお許しが出ました。一寸法師が好奇心にまかせていろんなことをしてみると、時々お姫様の口からせつなげな声が洩れたり大地震のやうな震へが体を走つたりしますが、それでもお姫様は一寸法師の戯れを制するどころか、「お願ひ、止《や》めないで」と言ひ、次の夜にはそれがもつと露骨な命令となるのでした。

かうなるとお姫様を眠らせるまでの仕事が大変です。何しろ一寸法師は小指ほどしかないのですから、言はれるままにお姫様の巨体の上を這ひまはつて戯れるのは並大抵の苦労ではありません。でもそこはひそかに恋心を寄せてゐる一寸法師のこと、来る日も来る日も精一杯夜伽に励み、御褒美にお姫様がいろいろな御馳走を舌移しに食べさせてくれるのを何よりの楽しみにしてゐました。舌移しといふのは、お姫様が細かく嚙み砕いた食べものを舌先に載せて突き出すと、その柔らかい肉の食卓に一寸法師が取りついて食べるといふやり方です。

　ある日のこと、お姫様はお供の者を連れ、一寸法師を帯の間に入れて、清水の観音様へお参りに出かけました。その帰りに山道を歩いてゐると、二匹の鬼に出会ひました。赤鬼青鬼がくわつと口をあけて襲ひかかると家来は腰を抜かし、お姫様も正気を失つてその場に倒れてしまひました。一寸法師は無我夢中でお姫様の着物の下にもぐりこみ、勝手知つたお姫様の体の一番大事なところに身を潜めました。外では何やら天変地異でも起こつたやうな騒ぎで、鬼共が牙《きば》を鳴らしたりわめきあつたりするのが聞えました。どうやらお姫様を鬼の棲処にかつぎこむ様子でした。このままお姫様もろとも鬼共に喰はれるのだらうか、喰はれたら自分は鬼の腹の中でひと暴れしてやるが、その前にお姫様を助ける手立てはないものか。さう思案してゐると、何が幸ひするかわからないもので、一寸法師が身を潜めてゐるところへ鬼の体らしい赤い肉のやうなものが押入つてこようとしたので、一寸法師は死にもの狂ひで針を突き立てました。するとぎやつといふ叫び声とともに鬼の一物は退散したやうでした。続いてまた新手の一物が現れたのを、一寸法師は思ひ切り突き刺しました。鬼共は、「棘《とげ》が生えてゐるぞ」、「化物だぞ」と叫びながら一目散に逃げていきました。一寸法師が倒れてゐるお姫様の耳許で、「もう大丈夫ですよ」と言ふと、お姫様はやうやく気が付いて、夢心地で起き上がりました。

そのそばに、鬼共が落としていつたらしい小さな槌《つち》がありました。

「これは何でも望みが叶ふ打出の小槌といふものです。これで私の背丈を伸ばして下さい」

一寸法師がさう言つて頼むと、お姫様は言はれるままに打出の小槌を取つて、「背、出ろ、背、出ろ」と唱へながら一寸法師の頭を軽く叩きました。一寸法師はみるみる背が伸びて、お姫様よりも頭一つ大きい立派な体格の若者になりました。

二人がお邸に帰つて一部始終を話すと、先に逃げ戻つた家来の話を聞いて悲嘆に暮れてゐた殿様は大変な喜びやうで、早速一寸法師をお姫様の聟殿《むことの》にすることに決めました。男嫌ひのお姫様も今は異存がありませんでした。

かうして二人はめでたく夫婦になつて幸せに暮すものと思はれましたが、どうしたことか、やがてお姫様には鬱々として楽しまない様子が目立ちはじめ、一寸法師の方も妙に元気がなくなりました。堪りかねて殿様がその訳を尋ねてみると、お姫様は一寸法師殿とは一緒に暮したくないと言ふのでした。

「それはなぜぢや」

「あの方は一寸法師ですもの」

「今ではあんなに体格のいい若者ではないか」

「でも肝腎のところが一寸法師のままですもの」

そんなことがあつて、ある日のこと、夫婦喧嘩をして一寸法師と罵《のの》しられた一寸法師は怒つて、例の打出の小槌を取出すと、「お前も一寸法師にしてやる」と叫びざま、お姫様の頭を小槌で叩きました。お姫様も負けずに小槌を奪つて叩き返し、二人で罵りあひながら小槌を振りまはしてゐたかと思ふと、みるみる二人とも体が縮みはじめ、小指よりも小さくなり、虫よりも埃よりも小さくなり、目では見えないほどに縮んでしまひました。あとには打出の小槌だけが転つてゐました。虫よりも小さくなつた二人がその後どこかで仲睦じく暮したかどうかは誰にもわかりません。

教訓　「スモール」は「ビューティフル」ならず

白雪姫

昔、ある国のお妃に女の子が生まれました。肌は雪のやうに白く、唇は血のやうに赤く、髪と瞳は真黒で、並み外れて美しい赤ん坊でした。そこで女の子は白雪姫と名づけられました。

白雪姫は大きくなるにつれてますます美しくなりましたが、お母様のお妃はその後病気がちで、白雪姫が七つの年にたうとう亡くなつてしまひました。亡くなる前にお妃は白雪姫を呼んで、小さな瓶《びん》にはひつた薬のやうなものを渡して、かう言ひました。

「私が死ぬと、やがて新しいお母様が来るでせう。危いことがあつたらこの薬を顔や手足に塗るのです。危険が去つたら森の泉で洗ひ落とすといい。くれぐれも悪い人の言葉を真に受けたりしないやうに……」

さう言ふとお妃は息を引き取つたのでした。

お母様が言つた通り、王様はまもなく若いお妃を迎へました。これがまた目を見張るほど美しい方でしたけれども、大層気位が高く、白雪姫がまるで天使の人形のやうに美しいのを見た時から心は穏やかではありませんでした。

新しいお妃は秘蔵の魔法の鏡を取り出してかう尋ねました。

「鏡や、教へておくれ。誰がこの国で一番綺麗なの」

すると鏡は答へました。

「女王様、一番綺麗なのは女王様です」

「本当ですか。あの白雪姫も綺麗でせう」

「ですが、白雪姫はまだ子供です。女王様とは比較になりません」

それを聞いたお妃は、一度は安心したものの、考へてみればまた不安が募るのでした。そこで毎日のやうに鏡を取り出しては答を確かめずにはゐられませんでした。

何年か経つうちに、白雪姫は胸もふくらんで女らしくなつてきました。そしてある日、魔法の鏡はお妃の恐れてゐた答を返しました。それを聞くとお妃の顔は紫色に変はりました。それでも、「ほんのわづかばかり白雪姫の方が美しい」といふことで辛うじて気を取り直したお妃は、もう鏡に尋ねるのは止めようと思ひ、しばらくの間鏡をしまひこんだままにしておきました。

この話を親切な侍女の一人が白雪姫に知らせてくれましたけれども、白雪姫はお母様からもらつた小瓶のことを思ひ出しませんでした。

次にお妃が鏡に尋ねた時の答は救ひのないものでした。

「女王様は美しい。でも白雪姫は千倍も美しい」

これを聞いたお妃の顔は怒りと屈辱でまだらになり、目は菫色《すみれいろ》に燃え上がりました。お妃は早速森番の男を呼ぶと、白雪姫を殺してその心臓と肝臓を証拠に持つてくるやうにと命じました。森番は白雪姫を森へ連れていくと、山刀を抜いて刺し殺さうとしました。白雪姫は何でも言ふことを聞くからと泣いて命乞ひをしました。森番はそこで遠慮なく白雪姫を裸にして弄《もてあそ》び、思ひを遂げてから首を絞めて殺さうとしました。そこへ偶然猪の仔が走り出てきました。森番は気が変はつてこの猪の仔を殺し、心臓と肝臓を持つて帰りました。お妃はそれを見るなり犬に投げ与へてしまひました。

一方、白雪姫は一人ぼつちで森の奥へとさまよつていきました。日暮れ前に一軒の小さな家が見つかりました。はひつてみると、家の中のものは何から何まで子供用のもののやうに小さくて、テーブルの上には七人前の皿やナイフやフォークが並べてありました。疲れはてた白雪姫が鍋の料理とパンを食べ、葡萄酒を飲んでベッドで前後不覚になつてゐると、やがて七人の小人《こびと》が帰つてきました。この七人は山に出かけて金や銅を探してゐる連中で、みな頭は一人前の大人ですが、脚は曲がつて背丈は子供ほどしかない小人でした。

白雪姫から継母《ままはは》に殺されさうになつた話を聞くと、小人たちは、料理や洗濯、編物などが上手にできるなら家においてやつてもいいと言ひました。でも白雪姫はそんな仕事を何一つ習つたことがありません。仕方がないので小人たちの夜の伽をしてこの家で厄介になることにしました。何しろ雪のやうに肌の白い美少女ではあり、根が素直でしたから年の割には床上手になつて、小人たちに気にも入られ、気楽な毎日を送ることができました。ただ、昼間は一人で留守番をしなければならないのが小人たちには心配で、「あの継母には気をつけるんだよ。お前さんがここにゐることを嗅ぎつけると、きつとまた殺しに来る。誰が来てもけつして家の中に入れてはいけないよ」と口が酸つぱくなるほど注意してから小人たちは出かけていくのでした。

さて、お妃の方は、白雪姫を亡き者にしてこれで自分より美しい女はゐなくなつたと安心してゐましたが、ある日、例の鏡に何気なく尋ねてみたところ、「森の小人の家にゐる白雪姫は千倍も美しい」といふ答が返つてきました。お妃はすべてを察してむらむらと悪い心が動きました。そこで早速顔に絵の具を塗つて物売りの老婆になりすますと、森の小人の家を訪ねました。

戸を叩く音がしましたが、白雪姫は小人の注意を思ひ出したので戸は開けず、窓からのぞいてみました。

「まあ綺麗な娘さんだこと。その器量にお化粧をなさつたら、お城の女王様にも負けないほど美しくなりますよ」とお婆さんは言つて、色とりどりの化粧品を並べて見せました。そして白雪姫が口紅を欲しがると、気前よくそれをくれました。

白雪姫は大喜びで口紅をつけました。するとたちまち唇は腫れあがつて醜い駱駝《らくだ》のやうな口になつてしまひました。まもなく小人たちが帰つてきて一部始終を聞くと、すぐさま白雪姫を森の泉に連れていつて顔を洗はせました。腫れは嘘のやうにひき、白雪姫は元通りの美しい顔に戻りました。

「あれは継母だつたに違ひない。怪しい人から物をもらつてはいけないよ」

小人たちがさう注意して出かけると、今度は若い下着売りの女がやつてきました。うまく変装してゐるので本当はお妃だといふことに白雪姫は気がつきません。女は言葉巧みに持ちかけて家の中にはひりこむと、殿方を喜ばせるには野暮な下着を身につけてゐては駄目だと言ひ、綺麗な下着を出しては自分で着て見せました。白雪姫は欲しくてたまらなくなり、小人の家にあつた金貨を払つて下着を買ひました。ところがそれには毒がしみこませてあつたと見えて、着てゐるうちに全身が爛《ただ》れてきました。泣き叫んでゐると、まもなく小人たちが帰つてきて、薬草を煎じたお風呂に入れてくれました。すると今度も元通りの体になりました。

翌日、「怪しげな物売りから買つてはいけないよ」と注意して小人たちが出かけたあと、窓の下で歌声が聞えるので、のぞいてみると百姓女が籠を下ろして一服しながら林檎を食べてゐました。籠にはおいしさうな林檎が沢山はひつてゐます。あまりおいしさうなので、白雪姫は勧められるままに一つもらつて食べました。するとその林檎には毒がはひつてゐたと見えて、たちまち咽《のど》が苦しくなり、白い肌は泥の色に変はつてしまひました。百姓女は正体をあらはしてお妃の顔になり、嗤《わら》つて言ひました。

「お前はちつとも賢くなりませんね。今度こそはどんな水で洗つてもどんな薬をつけても駄目ですよ」

その言葉の通りで、小人たちがどんなに手を尽くしてみても白雪姫の泥の肌は元には戻りませんでした。小人たちは溜息をついて、「あんなに注意しておいたのに」とか、「お前さんがその器量のせめて半分も利口だつたらこんなことにはならなかつたのに」とか愚痴をこぼしあひました。

白雪姫が目を泣き腫らしてゐるところへ、ある国の王子が通りかかりました。この若い凜々《りり》しい王子は白雪姫の不幸な身の上話を聞くと、同情と正義感に駆られて、自分の愛情で奇蹟を起こしてきつと姫を元通りの姿にしてみせると誓ひ、性悪女の王妃を懲らしめてやると公言して、早速お城へ出かけました。

お城に着くと、見たこともないほど優雅で気品の高いお妃が現れて王子を歓待してくれました。王子は一目見るなりお妃の美しさに呆然として、その機智に溢れた話を聞けば聞くほど、あれほど同情した白雪姫の不幸な身の上が何だかひどくばかばかしく思へてきました。それにあの泥の色をした白雪姫を見たあとでは王妃の方が本物の白雪姫に見えてくるのでした。若い王子はこの美しい王妃に恋をしてしまひました。

王妃もこの凜々しい青年に心を動かされたやうでした。

ある夜、二人はお城のバルコニーでお互ひに恋を打ち明けました。王妃はその妖しく輝く目で王子をぢつと見つめて、二人の恋の成就のために是非ともやつてもらひたいことがある、と言ひました。それはすつかり耄碌《もうろく》してゐる王様をひと思ひにあの世に送る仕事でした。王子は勿論二つ返事で引き受けました。

事が成つて、王妃と王子はめでたく婚礼の宴に臨むことができました。その夜、新婚の床に入る前に、王妃は例の鏡を取り出しました。そして物も言はず、いきなり壁にぶつつけて割つてしまひました。

「どうしたのですか」と新しい王様が尋ねた時、王妃はにつこり笑つて、「長い間私に憑《つ》いてゐた悪霊を片付けたのです」と答へました。

　ところで、白雪姫の方ですが、泥の色がとれないのに困つた白雪姫は、やうやくお母様からもらつた小瓶のことを思ひ出しました。天にも上る思ひで中の薬を顔や手足に塗りました。すると泥の色が消えるどころか、もつと汚い青黒い色に変はつてしまひました。それは肌を黒くする薬だつたのでした。

　でも、白雪姫の人生はそれほど不幸だつたとも言へません。白雪姫は森の小人たちの家でよく働いて沢山の子供を生み、みんなで仲良く暮したといふことです。

教訓　愚かな人間が幸福になることはありません

世界の果ての泉

昔、あるところに美しい娘がありました。その母親が死んだあと、意地の悪い継母が来ました。継母はこの娘が実の娘よりもはるかに美しいのが癪《しやく》の種で、やがて事ある毎に継子いぢめをするやうになりました。着るものも食べるものも召使と同じ粗末なものしか与へず、召使と同じ仕事をさせてゐましたが、ある日継母はたうとうこの娘を追ひ出すことに決めて、娘に篩《ふるひ》を渡すと、こんな無理難題を吹きかけました。

「これを持つていつて、世界の果ての泉から水を汲んでおいで。言ひつけ通りにしないと承知しませんよ」

娘は早速家を出ると、世界の果ての泉を探してあてもなく歩いていきました。誰に訊いても呆れたやうに首を振るばかりでしたので、娘は困り果てて泣き出しました。そこへ醜い老婆が通りかかりました。老婆はわけを訊くと、それなら知つてゐるけれど、そこへ行くと碌なことはないと言ひました。しかし娘は是非にと頼んで道を教はり、荒野を進んでいくと、白い骨のやうな木立に囲まれた世界の果ての泉が見つかりました。

さて、その水を篩で汲まうとしましたが、水はこぼれ落ちて一滴も汲むことができません。そこで娘はその場に坐りこんでまた泣きだしました。

その時、泉の中から仔犬ほどもある大きな蛙が現れて、「どうしたんですか、娘さん」と人間の声で話しかけてきました。

「お母様の言ひつけで、この世界の果ての泉から篩で水を汲んで帰らなければならないんだけれど、どうしても汲めないの」

するとと蛙は蛙の声で笑つて、

「僕と結婚して僕の言ふ通りにしてくれると約束するなら、汲み方を教へてあげてもいいよ」

と言ひました。

娘は前後の考へもなく、「何でも約束するからその方法を教へて頂戴」と頼みました。

「それなら教へてあげよう。篩の目を苔《こけ》でふさいで粘土で塗り固めるといい」

なるほどと思つて言はれる通りにしてみると、水はいくらでも汲めて、こぼれることがありませんでした。娘が大喜びで家に帰らうとした時、蛙が泉の中から顔を出して、

「約束を忘れては駄目だよ」と念を押しました。

「大丈夫よ」と娘は上の空で答へました。どうせあんな蛙に私と結婚なんかできつこない、と高を括《くく》つてゐたのでした。

家に帰つて篩に汲んできた水を渡すと、継母は顔色を変へましたが、その場では何も言へませんでした。

ところがその晩のこと、娘が寝ようとしてゐると、誰かが戸を叩いて、「娘さん、娘さん、二人で約束したことを忘れてはいけないよ」といふ声がします。それを聞きつけた継母が、どこの男と何を約束したのかと責めたてるので、娘は仕方なく一部始終を話しました。

すると継母は掌を返したやうに態度を改めて言ふのでした。

「女の子といふものは殿方と約束したことを守らなくては駄目ですよ。相手がたとへ蛙でもね。さあ、花婿を内へ入れておやり」

娘が戸を開けてやると、あの世界の果ての泉から来た蛙が跳ねながら娘の足もとにすり寄つてきて、膝に乗せておくれとねだるのでした。娘が顔を顰《しか》めてゐるのを見て、継母は、「膝に乗せておやり。約束でせう。女の子といふものは約束を守らなくちや」と言ひました。

蛙は娘の膝に抱かれて嬉しさうに蛙の声で鳴いてゐましたが、また人間の声になつて、何か食べさせておくれと要求するのでした。それ位のことなら何でもないと思つて、娘は家の残飯を鉢に盛つて蛙に食はせました。蛙は不満げに蛙の声で鳴いて、搾りたての牛乳と焼きたてのパンが欲しいと註文を出します。珍しいことに、けちな継母が、ほかならぬ花婿殿のためだからと言つて、上機嫌で牛乳とパンを出しました。

たつぷり食べ終ると、蛙は娘の膝に跳び上がつて、「一緒に寝よう」と言ひだしました。「それだけは御免だわ」と娘が身震ひするのを見て、継母は、ここぞとばかりに怒鳴りました。「約束通りにおし。女の子といふものは約束を守らなくちや。お前が見つけてきた立派なお婿さんぢやないの」

仕方なく娘は蛙を連れてベッドにはひりました。できるだけ離れて寝ようとするのですが、蛙は馴れ馴れしい男のやうに娘の胸に身をすり寄せてくるのでした。蛙の皮膚は冷たく、ぬらりとして、おまけにいやらしい疣《いぼ》まであり、娘は思はず鳥肌立つて全身に脂汗がにじむ思ひでした。やがてそんな悪夢のやうな夜が更けて、夢ともうつつともつかぬ闇の中に、あの世界の果ての泉を教へてくれた老婆の姿が浮かびました。老婆は娘の寝台に近づいてくると、かう言ふのでした。

「そこにゐる蛙は実はさる国の美しい王子ぢや。お前が三年の間、この蛙を心底愛して夫婦の暮しをするなら、魔法は解けて王子はもとの姿に戻る。それがいやなら、今すぐこの蛙の首を斬り落としても王子はもとの姿に戻る」

すると蛙は夢に魘《うな》されるやうな声を絞つて、

「首を斬らないでおくれ、そんなむごいことをしないでおくれ、蛙のままの僕を三年間愛しておくれ」と哀願しました。しかし娘の心は決まつてゐて、手つとり早く首を斬り落として王子をもとの姿に戻すつもりでしたから、起き上がると斧《をの》を持つてきて、蛙めがけて打ち下ろしました。

恐ろしい悲鳴とともに首が落ちたと思つた瞬間、寝台には首と胴の離れた王子の死骸が横たはつてゐました。

騒ぎを聞きつけて継母がやつてきましたが、娘の愚かな選択を知つて、茫然としました。憎い継子が幸運を取り逃がしたのは喜ぶべきことでしたけれど、こんな立派な王子に自分の娘を縁づかせる機会もなくはなかつたのに、と思ふと、腹立たしさを抑へることができませんでした。そして何やら罵りながら、例の篩で汲んできた世界の果ての泉の水をコップで掬《すく》つて一口飲みました。それは口が曲がりさうなほど塩辛い味がしました。
それ以後継母の喉《のど》からは蛙のやうな声しか出なくなつたといふことです。

教訓　真の愛とは醜いものを愛すること、つまり不可能といふこと

血で染めたドレス

昔、ギリシアのアテナイに貧しい青年が住んでゐました。その先生のお嬢さんはアプロディーテーの姪か妹かと言はれるほどの美しい少女で、青年も以前から思ひを寄せてゐましたが、ある時、外《ほか》の弟子の目を盗んでお嬢さんと口をきく機会がありました。青年は理窟を並べたり議論をしたりすることなら先生譲りで大いに達者でしたが、こんな時、詩人のやうに愛の言葉を花束にして捧げることはまつたく不得手でした。それでつい、少女の歓心を買はうとして、何か欲しいものがあつたら誕生日に贈りたい、といふやうなことを口にしてしまひました。すると少女は目を輝かせて、

「あたし、真赤なドレスが欲しいの。それも生きた人間の血で染めたやうな色のが。あたしの誕生日にそんな贈物を下さつたら、お返しにあなたのお望みのものを差上げるわ」と言ひました。

青年は希望に目も眩《くら》む思ひでしたが、たちまち絶望で目の前が暗くなりました。貧しい身の上で、そんな高価な――と青年は決めてかかつてゐました――ドレスが買へるはずはありませんし、また少女が望んだ色といふのが途方もないものでした。おまけに贈物をすべき誕生日は三日後に迫つてゐました。

途方に暮れた青年が涙ぐんでぼんやりしてゐるのを隣の家の唖《おし》の少女が見かけました。この少女は以前からひそかに青年を愛してゐましたので、心配さうに青年の顔を見つめました。

「ああ、きみか」と青年はやつと気がついて言ひました。「ぼくは夢みたいな幸運を約束され

ながら同時に死刑の宣告を受けたのだ。でも、こんなことをきみに言つてみてもどうにもならないものね」

さう言ひながらも青年は唖の少女に向かつて一部始終を話さずにはゐられませんでした。先生のお嬢さんがどんなに美しく、自分がお嬢さんをどんなに愛してゐるかといふことも。それは唖の少女にとつては心臓に針を刺しこまれるやうな話でしたが、青年は相手の苦痛の表情を自分への同情と解釈してしやべりつづけました。

「もう止めよう。口のきけないきみにいくら話してみても無邪気な仔猫に借金の申込みをしてゐるやうなものだ。ああ、ひよつとしてきみが哀れな唖の少女に化けたアテーナー様だつたら——そしたらぼくの望みを叶へてくれるかもしれないのにね。いや、これは冗談。今となつては哲学者らしく自殺について考へるしかなささうだ」

少女はなほもむづかしい理窟を並べてゐる青年を残して神殿の方へ上つていきました。そこで沢山お祈りをしてアテーナーに助けを求めました。自分の愛が青年に通じるものなら、自分の血で染めたドレスを縫つて贈りたいと少女は思ひつめてゐるのでした。

アテーナーが少女の前に現れました。女神は話に聞く通りの威厳と聡明さで輝いてゐましたが、もともとさういふ性なのか、余り愛想がよささうには見えず、深く同情した様子も見えませんでした。それでも女神は少女の目をぢつと見つめながら声にならない少女の心の訴へを辛抱強く聴いた上で、かう言ひました。

「残念なことにお前の持ち出した問題は本来私の領分外のものです。私からアプロディーテーの息子に頼んで、あの青年がお前を愛さずにはゐられないやうにしてあげることは簡単ですが、それは私が最上とする解決ではありません。お前もエロースの矢を借りてまで男の愛を得たいとは思はないでせう。私にできる忠告は、自分に値しないものを愛するのはおよしなさいといふことです。お望みとあれば、あの男への愛をお前の心から綺麗に消して差上げますよ」

少女は必死になつて首を振りました。

「それだけは御勘弁下さいまし、アテーナー様。私はあの方への愛を棄てることはできません。今はただ、私の愛があの方のもとに届きさへすればいいのでございます」

「私にはわかつてゐますが、さうしたところであの男は何もお返しはしてくれませんよ」

「私は信じてゐるのです、愛の力を」と少女は叫びました。「愛のためなら命を棄てます。どうか私の血で染めた糸を織つて真赤なドレスを作つて下さいまし」

「お前は信じるものを間違へてゐるやうですが」とアテーナーは言ひました。「その望みなら叶《かな》へてあげることはできます。ただしこれはお前にとつては地獄を見るよりも恐しくて苦痛にみちたものだし、私にとつてはあの高慢なアラクネーと競争した時に劣らず気の進まない仕事になりますが」

それでも唖の少女は女神に労をとつてもらふことを願つてやみません。さすがの女神もいささか不愉快になりました。人間共はどうしてかう自分の都合ばかりを言ひたてて神々に願ひ事ができるのだらうか、それも愛《め》でるに足りるものもない、およそ取柄のない人間に限つて神にねだることにかけては人並み以上ではないか。さう思ひはしましたが、これも神たるものの務めだと思ひ直して、アテーナーは面倒な仕事にとりかかることにしました。

「註文によると、そのドレスは生きた人間の血で染めたやうな色をしてゐなければならないさうだけれど、鮮やかな色を出すにはそれだけの犠牲がいりますよ」

「アテーナー様、私はどうせ命を棄てる身でございます。どんな苦しい思ひでも痛い思ひでも我慢致します」

「そしてこれには時間がかかりますが、その間、お前はどんなに苦しくても息を引取つてはならず、いつそ死んでしまひたいなどとも思はず、新鮮な血を流しつづけるために生きてゐなければなりません」

女神はさう言つて念を押すと、糸の端を持つた指を唖の少女の心臓に突き立てました。と思つた時には目にも止まらぬ指の動きで糸は心臓をくぐり抜けてをり、真赤に染まつてたぐり出されてくるのでした。女神はその糸を織りはじめました。糸は鼓動してゐる少女の心臓に吸ひこまれては鮮やかに染まつて出てきます。糸が心臓を通り抜けていく痛さは譬《たと》へやうもありませんでした。余りの苦痛に、少女はその声の出ない喉から声にならない叫び声をあげる余裕もなく、ただ涙をたたへた目を見張り、全身に脂汗を流して耐へるだけでした。時々気が遠くなりかけると、女神の叱咤《しつた》する声が遠くの方で聞えました。

アテーナーは命が絶える前に少女がこの苦痛に負けて、その愛も贈物も一切を放棄して命乞ひをすれば、少女を助けてやるつもりでした。それで少女の声にならない悲鳴が聞えるのを待つてその心の耳を欹《そばだ》てゝゐましたが、少女の心は固く閉ざされたままで女神には何一つ話しかけてきませんでした。

少女の心臓は小さな糸繰り車のやうに動きつづけ、糸は心臓から赤く染まつて繰り出されてきます。しかし糸繰り車は次第にその回る力が弱くなり、カラカラと頼りない音をたてはじめました。一晩中糸を染めつづけたので少女の血は糸に吸ひ取られてだんだん残り少なくなつたのです。アテーナーは、もう少しだからと少女を励まし、たうとう血染めの布を織りあげました。その時少女の心臓は風のなくなつた風車のやうに止まつてしまひました。

アテーナーは早速その布で真赤なドレスを縫ひあげると、唖の少女に姿を変へて青年のところへ持つていきました。そしてまだ涙の乾かぬ目でぢつと青年を見つめました。女神の力で青年の心に直接話しかけることはできたのですが、それはしないで唖の少女の大きな目に物を言はせてみたのです。

「どうしたの、そんなこはい目をして」と青年は言ひました。「それにとても顔色が悪いやうだね。まるで吸血鬼に血を吸ひ取られたみたいだ」

唖の少女になつてゐるアテーナーは、青年がこの時まで何をするでもなく、自分の尻尾を追つては咬《か》んでゐる犬のやうに、ただ絶望を相手にしてむなしく時を過してゐたことを知つて、腹を立てる気にもなれないほど失望しました。それでも啞の少女のたつての願ひでしたから、できあがつた血染めのドレスを青年に差出しました。

　青年は狂喜してそこいら中跳ねまはりました。そして自分の幸運を喜び、これで先生のお嬢さんはもう自分のものになつたも同然だと大はしやぎしてから、悲しさうに立つてゐる啞の少女に気づくと、「きみはアテーナーより素晴しい」などと口走りました。

「それにしても、こんな見事なドレスをどうやつて手に入れたの」

　少女になつてゐるアテーナーはもう一滴も血の残つてゐない心臓を指差しました。

「さうかい、これはきみの好意なんだね。ぼくへの愛の贈物なんだね。有難く頂いておくよ」

　青年は自分が啞の少女に愛されるのを当然のことのやうに思ひ、その愛の贈物をただで受取ることを何とも思つてゐない様子でした。それでも、興奮の余り少女を抱きしめて、頰にお礼のしるしのキスをしようとしましたが、アテーナーはするりと抜け出してそのまま姿を消してしまひました。

　お嬢さんの誕生日に青年が真赤なドレスを得意げに進呈すると、お嬢さんは眉を顰《ひそ》めてそのドレスを払ひのけました。

「いやだわ、こんな気味の悪い色。まるで血で染めたみたいぢやないの」

「あなたがおつしやつたんですよ、こんな色の真赤なドレスが欲しいつて」

「あたしが言つたのはこんないやな色ぢやないわ。とにかく嫌ひ。こんな色はあたしには似合はないわ」

　さすがに青年もくわつとなつて怒鳴りました。

「この高慢ちきな小娘が！　これを手に入れるのにどんなに苦労したことか。これは本物の血で染めたドレスなんだぞ」

　青年は憤然として走り出ると、道ばたにドレスを投げ捨てました。そして後も見ずに歩きながら捨てぜりふのやうに言ひました。

「先生を替へよう。もつと気立てのいい娘のゐる先生を探さう」

　捨てられた血染めのドレスは通行人の足に踏まれ、やがて泥まみれの襤褸《ぼろき》切れのやうになつたのを、犬がどこかへ啣《くは》へて行つてしまひました。

教訓　人は愛してくれる人を愛するとは限りません

鏡を見た王女

昔、まだ願ひ事が叶つてゐた頃のこと、子供のない王様とお妃がありました。二人はなすべきことをなした上で、それでも子宝に恵まれないのはどういふわけであらうと言ひ暮しながら次第に齢を重ねていくのを嘆いてゐました。

するとある日、みすぼらしい身なりの老人がお城にやつてきました。王様は、よく神様が旅人などに姿を窶《やつ》して訪ねてくることがあると聞いてゐましたので、この老人を手厚くもてなしました。老人は城を去る時に、何か望みはないかと尋ねました。王様とお妃とは口を揃へて子宝に恵まれないことを訴へ、この年になつて子供が授かりさへすればどんな子でもいい、と言ひました。

「本当にどんな子でもいいのですな」と老人は念を押します。こんな時に欲張つたことを言つて元も子もなくなる話を聞いた覚えがありましたので、王様は黙つてうなづきました。その願ひは叶ふだらうと言ふと老人はどこへともなく立去りました。

ほどなくお妃は懐妊し、王様を始め城中が喜びに包まれるうちに、やがて女の子が生まれました。ところがこの王女は仔豚のやうにふとつてゐるだけが取柄で、どこから見ても美しいと言へるところがありません。おまけにお妃は産後の肥立ちが悪く、醜い娘のことを嘆きながらたうとう息を引取つてしまひました。王様も子供を欲しがつたことを悔みました。それでもやつと授かつた子供だけに不憫《ふびん》でならず、まはりの者たちにはこの王女を可愛い、美しいと褒め称へるやうにと命じました。また厳命を下して国中の鏡を一つ残らず没収してしまひました。

かうして醜い王女はみんなに褒めそやされながら育つていきましたが、ある日また、いつかの老人がふらりと姿を見せました。王様が苦情を言ふと、老人は無愛想に、「あなたはどんな子でもいいとおつしやつた。文句は言へまい」と言ひました。王様は後悔しましたが後の祭でした。しかしこのままでは王女が大きくなつて自分の醜さを知つた時が大変です。何かいい知恵はないものだらうかと相談を持ちかけてみました。

「私にも今から王女を美しくすることはできない。だが、お望みとあれば醜いままでも困らないやうにして差上げよう」

さう言つて老人が去つたあと、何日も経たぬうちに王女は目の病気を患つて、両目とも見えなくなつてしまひました。なるほどさういふことだつたのかと王様は思ひ当たりましたが、今更どうにもならず、ただ、鏡の使用は今後差支へなしといふお触れを出しました。

不自由な体になつた王女の身の廻りの世話をするのに、特別に醜い老婆と傴僂《せむし》の少年が選ばれました。お城の若い娘や女の子の中で王女よりも器量の劣る者は一人もゐなかつたからです。王様にしてみれば、王女のそばに比較の対象となる人間がゐることに我慢できなかつたのでせう。傴僂の少年は無口で辛抱強く王女に仕へましたので、失明してからといふものすつかり気むづかしくなり我儘が募つてきた王女も、この傴僂の少年だけはお気に入りで、老婆の召使が死んだあとは傴僂の少年をいつもそばにおいて、「美しい盲目の王女」として成長していきました。

ところが王女は年頃になつて一段とふとつたやうに見えました。特におなかのまはりがふとつて動くのも大儀さうでしたが、そのうちに突然赤ん坊を生み落しました。王様は驚いて、父親は誰かと追及しましたが、王女は頑として口を割りません。それどころか、自分が生んだことも認めぬ口ぶりで、「きつとどこかの豚が生んだ仔でせう」などと言ひ放つのでした。王様が傴僂の少年のことを口にしただけで、あんな賤《いや》しい者のためにあらぬ疑ひをかけられるのは口惜しいと言つて、王女は怒り狂ひます。傴僂も泣いて否定します。でも生まれた赤ん坊を見ると、豚のやうに醜い顔は王女にそつくりで、背中には瘤《こぶ》がありました。王様は家来に命じてこの赤ん坊を森に棄てさせました。そして、この傴僂に位を譲る気には何としてもなれませんでしたが、二人が事実上の夫婦であることだけは認め、これまで通り一緒に住まはせておくことにしました。もつとも、昼間の二人は誰の目にも主従以外の関係にあるやうには見えませんでした。

ある日、また例の老人がお城にやつてきました。もうこれで三度目だから、願ひを聞くのもこれが最後だと言ひます。王様は、自分ではもう二度とこの老人に願ひ事をするつもりはありませんでしたが、念のために王女と傴僂を呼んで、お前たちには何か望みはないかと尋ねてみました。すると王女は即座に、よく見える目が欲しいと言ひました。みんなに美しいと褒めそやされてきた自分の姿を是非一度見たいといふのが王女の望みでした。傴僂は血相を変へて反対し、それより自分を王女と同じやうに盲目にしてもらひたいと頼みました。見たくないもの

を見なくても済むやうになれば、「美しい盲目の王女」の夫としていつまでも暮していくことができます。王様も二人の話を聞いて、傴僂の願ひを叶へてもらつた方がいいと内心では思ひましたが、王女がいきりたつて、お前は私が盲目のままでゐることを望むのかと傴僂を責めるのをどうすることもできず、結局王女の我儘が通つて、老人は今度来る時に霊泉の水を汲んできて王女の目を開かせることを約束しました。

傴僂は困つたことになつたと思ひ、食べるものも喉を通りませんでした。王女の目が本当に見えるやうになれば、いづれ自分の醜さを自分の目で見ることになるでせう。傴僂にはそんな残酷なことは想像するのも耐へがたいのでした。そればかりではありません。王女の目が開けば、傴僂の醜い姿も明るい光の中で見られてしまひます。さうなつた時、あの気位の高い王女は、自分の醜さに絶望するよりも先に自分の夫の醜さを知つて気も狂はんばかりに怒るにちがひありません。傴僂は、見えない鏡の前に坐つて喜々として自分の顔を見る日を待つてゐる王女のかたはらで、思案に暮れてゐました。

それからしばらく経つたある夜のこと、お城に一人の曲者が忍びこみました。曲者は王女の寝室にはひつて、宝石函をあさつた上、眠つてゐる王女によからぬ振舞ひに及ばうとしたところを騒がれ、煮えたぎつてゐる薬罐を投げつけて逃げました。王女は顔中に熱湯を浴びて失神してしまひました。傴僂は騒ぎを聞いて駆けつけ、曲者を追ひましたが、殴り倒されたらしく、これも庭で気を失つてゐるのが発見されました。

王様は、これは怪しい事件だと思ひました。でも証拠があるわけではなし、にはかにどうかう言ふこともできません。それよりも王女の火傷の手当てが肝腎でした。国中の名医を呼び集めて手を尽した結果、命に別条はなく、火傷も思ひの外早く治りましたが、どんな名医の腕をもつてしても無残な火傷の跡だけはどうすることもできません。王女の顔は、もつて生まれた醜さに加へてのこの火傷のために、まるで焼けただれた鬼のやうになつてしまひ、誰にも正視できないほどでした。折角の美貌が台無しになつたと思つた王女は、王様に、こんな顔をあの少年にだけは見られたくない、と訴へて泣きました。これを物陰で聞いてゐた傴僂は身の危険を感じました。しかし王様の方は王女の訴へを違つた風に受取り、娘が父にだけ哀れな女の本心を洩したのだと思ひました。

その晩、王様が傴僂を呼びに人をやると、傴僂は灼けた火箸で自分の両眼を焼きつぶして倒れてゐました。介抱を受けたのち、盲目になつた傴僂は王様と王女の前に出て、王女様のお気持をお察し申上げると、自分としてはかうするほかなかつたのです、と言ひ、いつまでも従来通り召使としておそばに置いて下さいとお願ひするのでした。王女様は鬼の顔を動かしもせずに黙つてゐました。黙つてゐるのは承知したことだらうと王様は思ひました。そして、あの曲者が誰であつたか、本当は傴僂自身ではなかつたかと問ひ質《ただ》すつもりでゐた王様も、この傴僂の行為に免じて、その件は不問に付すことにしました。かうして傴僂は自分を危険な立場から救ひ出すことにひとまづ成功したわけでした。

それから何日かのちに、また例の老人がやつてきました。今度こそは誰にとつても「招かれざる客」でした。王様は老人に一部始終を説明して、さういふわけだから王女の目を癒す霊泉の水はもういらない、と断りました。すると老人は首を振つて、さうは行かない、約束は約束だから、と言ふが早いか、人々が止める間もなく、王女に近づいて壺にはひつた水を頭から浴せてしまひました。たちまち奇蹟が起り、王女は「目が見えるわ」と叫びました。「お望みの通り、人一倍よく見える目だ」と言ひながら、老人は立ち去らうとしました。王様はあわてて老人を制しました。

「お待ち下さい。どうか教へていただけませんか。どうして私たちはこんな風に次々と不幸な目にばかり遭ふのか」

「私のせゐだと言ひたいのか」と老人が言ひました。「すべてはお前のせゐではないか。胸に手を当ててよく考へてみるがいい。お前は中途半端に賢く、妙に物分りがよささうで、責任を取らず、決断せず、判断はいつも少しづつ狂ふ。さういふお前の愚行の積み重ねが今日の結果を生んだのだ」

王様はすつかり打ちのめされた様子でしたが、最後の愚かな勇気を奮ひおこして、せめて好奇心だけでも満足させようと、老人に向つて、「あなたは一体どなたでせうか」と尋ねました。老人は凄い目をして一瞬振り返りましたが、何も答へずにそのまま城を出ていきました。

さて、よく見える目を得た王女は、早速その目で自分の姿や傴僂の夫を見ました。そして何もかもよくわかりましたが、何一つ許せるといふ気持にはなれませんでした。それから王女がどんな一生を送つたかは誰も知りません。盲目の傴僂がどうなつたかもわからないさうです。

教訓　鏡は己れの醜さを見るためにある

子供たちが豚殺しを真似した話

昔、オランダの小さな町で、父親が豚を殺すところをその子供たちが見てゐて、やがて父親が出かけると早速豚殺しを真似することになりました。兄は弟に、「お前、豚になれ」と言つて弟の咽喉《のど》をナイフで切り裂きました。悲鳴を聞きつけて母親が飛び出してきました。そしてこの有様を見て逆上し、上の子の手からナイフを奪ふが早いか、心臓をひと突きして殺してしまひました。それからはつと我に返つて、ついさつきまで盥《たらひ》でお湯を使はせてゐた赤ん坊のことを思ひ出しました。行つてみると赤ん坊は盥の中で溺れて死んでゐました。母親は半狂乱になつて、そのまま首を吊つてしまひました。間もなく帰つてきた父親も家の中の惨事を見て持病の心臓の発作を起し、あつけなくみんなの後を追ひました。

ところが翌日、この豚殺しごつこを見てゐた近所の子供たちが集まつて、自分たちも豚殺しをやつてみようといふことになりました。そして日頃からいぢめられ役の子に豚の役を押付けてみんなで手足を縛り、逆さに吊して、いぢめつ子役の子が咽喉を切りました。その血で腸詰めを作る役の女の子が鉢で血を受けました。そこへ市会議員が通りかかつてこのむごたらしい光景を目撃したことから町中大騒ぎになりました。

ここまでは似たやうな話が『グリムの童話集』にも伝へられてゐますが、実はこのあと面倒なことが次々と起つたのでした。

まづ豚殺し役の子が呼ばれて、なぜあんなことをしたのかと訊かれました。この子は、近所の家の子供たちがやつてゐた豚殺しごつこを真似しただけだと答へました。しかし調べてみるとこの家の者は一人残らず死んでゐたので、仕方なく今度は豚殺し役の子の親を呼んで、一体どんな育て方をしてゐたのかと詰問しました。するとこの親は、自分の子に限つてあんな大それたことをしでかすはずがない、これはきつと学校の教育が悪いせゐだ、と申立てました。そこで学校の先生を捕まへようとしましたが、担任の先生はいち早く町から逃げ出して行方を晦《くら》ましたあとでした。

市長は止むを得ず校長を罷《や》めさせました。校長はこれを不服として、もとはと言へばこの町で大人が公然と豚を殺すからいけないのだ、子供らは大人を見習つただけではないか、と主張して市の議会に訴へました。議会では侃侃諤諤《かんかんがくがく》の大議論の末、この事件は結局のところ市長に責任があるといふ結論に達して、市長を罷免することにしましたが、無論市長は承知しません。

丁度この町に国王の巡行がありました。市長は王様に訴へ出て正しい裁きをお願ひしました。王様は事情を聴くと、ただちに豚殺し役の子を捕へ、その子が豚の役の子にしたのと同じやうに、逆さに吊して咽喉を切り裂かせました。そしてその子の親は縛り首にしました。

町の人たちはこの裁きに釈然としません。むしろ憤慨する人が多く、特に王様に処刑された子供には同情が集まりました。けれども正面切つて王様に楯突くわけにもいきません。そこで人々は集まつて、過ちを二度と繰返さないことを互に誓ひ、やがて王様に処刑された豚殺し役の子の銅像を町の広場に建てました。

なほ、この町ではそれ以来豚や牛や羊を殺すことを止め、動物の肉を食べることも止めて、「肉食反対都市宣言」を発したのです。しかし何年か経つと肉食の禁止に対しては不満が強くなり、この町を去る人が増える一方なので、いつの間にか肉食禁止の方はうやむやになり、よその町で殺した家畜の肉なら、買つて食べるも差支へなからうといふことになつたさうです。

今でも例の銅像はこの町の広場に残つてゐます。子供が咽喉を剣で切り裂かれようとしてゐる姿を表はしたもので、その剣にはよく見ると王家の紋章が彫りこんであります。また銅像の下の石には、「過ちは二度と繰返しません」といふ文句が刻んであります。

教訓　正義は世論がつくる

恋するザムザの話

昔、ある田舎町にザムザといふ若い行商人が住んでゐました。陰気な雨の朝、ザムザが行商に出掛ける時刻になつても起きてこないので、母親が行つてノックすると、返事はなく、鍵のかかつた部屋の中で何やら異様な物音と呻《うめ》き声が聞えました。悪い夢でも見て魘《うな》されてゐるのかもしれないと思ひながら母親は台所に戻り、しばらくして今度は妹が起こしに行きました。やがて妹は蒼い顔で引返してきて、「大きな虫がはひまはつてゐるやうな音がするの」と言ひます。「それに獣のやうな声も……」と妹は泣き出しさうな顔をしました。病気かもしれないと心配になつた母親は、ザムザの部屋の戸を激しく叩きながら、妹と口々に叫びました。騒ぎを聞きつけて、いつもは朝寝坊の父親も起き出してきました。そして父親の威厳を失はない限りでさんざん怒鳴りましたが埒《らち》があきません。鍵もかかつたままです。

「おい、錠前屋だ」と父親は母親に命じました。

錠前屋が来ました。朝早いことなので錠前屋はひどく不機嫌でしたが、それでも手早く仕事を済ませたので、やつと外から戸を開けることができました。ベッドの上には巨大なゴキブリのやうな虫がゐて、腹を上に向け、何十本あるかわからない脚をぶざまに動かしてゐました。

「これは何の真似ですかい」と錠前屋は虚勢を張つた口調で言ひましたが、その顔は踏みつぶされた帽子のやうでした。虫は大変な努力で体をゆすつてゐましたが、運よく床に転げ落ちたはずみで腹ばひに戻り、何かを訴へるかのやうにその家族の方に這ひよつてきました。さかんに声を発して話しかけてゐるらしいのですが、その声が妹の言ふ「獣の声」でした。錠前屋は近づいてくる虫を見ると、必死の形相で後じさりを始め、それからこれも獣じみた声をあげながら階段を駆け下りていきました。

さすがに父親は男らしくこの事態に立ち向かひ、箒《はうき》を振りまはしてこの虫をもとの部屋に追ひこみながら、母親には早く行つて口止めをしてこいとせきたてました。錠前屋は階段下で足を挫《くじ》いて呻いてゐました。

この一騒動のあと、虫を閉ぢこめた部屋の外で親子三人は善後策を相談しました。と言つても、あの虫は一体何だらうといふことから話は始まつてなかなかその先へは進みません。母親は、かはいさうなザムザはあの虫に食ひ殺されたのではないかといふ意見でしたが、それにしても胴のひどく薄い虫で、大の男のザムザが腹に収つてゐる様子はありませんでした。妹の意見は、この虫はやつぱりザムザで、悪い夢でも見たザムザがそのまま虫に変身したのだといふものでした。父親は悪魔か妖怪の仕業だらうと言ひました。それなら錠前屋の次に呼ぶべき人は、医者か祈禱師か予言者かと三人は相談しましたが意見はまとまらず、結局下手に人を呼んで一家の恥を町中に広められるよりは、取敢へず餌を与へてしばらく様子を見ようといふことになりました。

ところでこの一家にとつては、ザムザが突然虫になつたことよりも、働き者のザムザがこれからは行商に出て稼げなくなつたことの方が頭痛の種でした。家には大した蓄へもありません。妹はまだほんの小娘だし、母親はふとりすぎだし、父親は病気持ちの上、すつかり怠け癖がついてゐました。そんなことを相談してゐると、部屋の中からザムザの声が聞えました。自分も大事な相談に加はつて、何やら意見や弁解を述べてゐる様子でしたが、不明瞭な発音でよく聞きとれません。父親は苛立《いらだ》つて、「虫のくせに余計な口を出すな」と怒鳴りました。

けれども数日経つうちに、ザムザが虫になつたといふ噂は町中に広まりました。日頃余り付合ひのない人までが口実を設けてはザムザの家を訪ねてきます。父親と母親とは理由もなく襲つてきた不幸を理解してもらはうとして、愚痴や説明を並べながら少しだけ戸を開けてザムザの姿を見せます。そんな時、ザムザは虫らしく沢山の脚を動かして壁を這つてみせたり、天井に貼りついて見せたりして、見物に来た人を感心させました。大概の人がお見舞ひだとか餌代だとか言つてなにがしかのお金をおいて帰ります。

やがて父親と母親は人々の要求に応へるためと思ひがけない収入の途を確保するために、許可を得て町の広場に網を張つた檻をおいて、ザムザを見物に供することにしました。数ヶ月の間、この見世物はなかなか繁昌して、ザムザの厚生基金といふ名目で募られた寄付金で親子三人は以前よりも余裕のある生活ができるやうになりました。ザムザの食事は見物人が投げ入れる残飯で間に合ひました。虫になつてからは好みが変つたのか、新鮮な果物や牛乳は口に合はなくなり、豚やゴキブリが好むものをザムザも好んで食べるやうになつたのです。

ある時、有名な予言者がザムザを見にきて、厄介な魔法にかかつてゐるが、この魔法は醜い虫のままのザムザを心から愛する娘が現れた時に解けるだらうと予言しました。この話は町中で評判になりましたが、さういふ娘はいつかうに現れませんでした。妹は、予言者の言葉を真に受けてザムザの嫁探しでもする気になつてゐる母親をたしなめました。魔法が解けた時、醜いガマガヘルが美しい王子様に戻る話はよく聞きますが、虫のザムザは魔法が解けたところで王子様に戻るわけではないのですから。

そのうちに興行は次第に人気を失つていきました。子供たちは棒でザムザをつつき、触角を叩き折つたりしました。中でも若い娘の一団から林檎を投げつけられたのが落ち目の始まりでした。林檎の一つはザムザの脇腹に命中し、柔かい肉に食ひこんだまま腐つて悪臭を放ちました。ザムザは目に見えて衰弱し、動くのも大儀さうになりました。不人気を挽回する望みはもはやありませんでした。

さうなると、町の広場にゴキブリの化物みたいな虫が放置されてゐることに苦情が出始め、ザムザはまたもとの自分の部屋に帰ることになりました。一家はふたたび収入の途を失つて途方に暮れました。そこへ追打ちをかけるやうに、町の条令では家の中で人間より大きい動物を飼つてはならないことになつてゐる、といふ警告が町役場から届きました。

父親は近所の人に知恵をつけてもらつて役場へ陳情に出掛けました。ザムザを町で引取つてもらひたいと申入れますと、そんな大きな虫を収容する施設はないと言はれます。またザムザはあくまでもわが家族の一人で、不幸な難病にかかつてあんな姿になつてゐるのだからといふ理由で、町長に治療費の援助をお願ひしたりもしました。でもこれも駄目でした。あの虫がザムザであるといふ証拠がないと町の役人は言ひました。こんな交渉で疲れ果てたザムザの家族たちは、これでは厄介者を「処分」するしかないといふ結論に達して、戸籍からザムザを消す手続をとりに行きました。すると戸籍係の役人は、それならこのザムザはどうなったのかとしつこく尋ね、まるで家族がザムザに何かよからぬことをしたのだらうと言はんばかりでした。

親子三人は因果な家族を抱へたことを嘆きながら、ともかく暮しを立てるために働くことにしました。幸ひ、父親はある金持のお屋敷で門番として働くことになりました。妹は通ひの女中の口を見つけ、母親は家で仕立物を引受けました。ザムザはもとの部屋に閉ぢこめられたままでした。そのうちにザムザのことは家族たちの念頭から去つて、時々妹が残飯やゴミを掃除しにくるだけになりました。不思議なことに、ザムザの声は以前よりも通りがよくなつて、妹にはその言ふことが大体わかるやうになりました。けれども、妹は勤めに出て疲れてゐましたし、ザムザが虫のくせに家族の一人のやうな口をきくのがおぞましくて、ほとんど返事をしませんでした。

ある初夏の日、久しぶりに父親と妹に休暇が取れたので、親子三人揃つて町はづれの見晴らしのよい丘にピクニックに行くことになりました。みんな浮き浮きして御馳走を作り、馬車を雇つて出掛けました。三人は、これであの虫さへゐなかつたら、と言ひ合ひながら快い風に吹かれて進むうちに、本当にザムザのことなど頭から抜け去つていくやうな気がしました。

ところが、馬車を降りて丘に登つていくと、大きな鳥のやうなものが頭上に迫つて影を落しました。見るとザムザではありませんか。ザムザが褐色の羽で飛んでゐました。「ぼくをおいていくなんてひどいよ」とザムザが言ひました。そして興奮した声で、自分が本当は空を飛べること、それについさつき気がついたことなどをしやべりたてます。三人は腹の中で、それならこのままどこか遠いところへ飛んでいけばいいのに、と思ひました。

頂上に着いてお弁当を広げると、ザムザも舞ひ下りて鼻をつつこまうとしました。その時、罐切りを忘れてきたことがわかりました。「お前、飛べるんだから取つてきておくれ」と母親が頼みました。ザムザは折角の団欒《だんらん》から外されるのが不服らしく、ぐづぐづ言つてゐましたが、「お前が戻つてくるまで食べないで待つてゐるから」と約束すると、ザムザは仕方なく飛び立ちました。三人はどうしてこんなことになつたのだらうと、いつもの愚痴のおさらひをしながら待つてゐました。ザムザはなかなか帰つてきません。父親が我慢できなくなつて、先に食べ始めようと言ひました。ほかの二人も賛成して御馳走に手を伸した時、近くの木からザムザが舞ひ下りてきました。そして、「ずるいよ。ぼく、やつぱり取りに帰らなくてよかつた」と言ひました。

これを聞いて逆上した父親が罐詰を力一杯ザムザに投げつけました。それが頭にめりこんで黒い血のやうな汁が流れました。ザムザは数十本の脚を痙攣《けいれん》させたのち、動かなくなりました。三人は穴を掘つてザムザの死体を埋めました。

その時に手や服についた汁は言ひやうもなく臭いもので、家に帰つていくら洗つてもとれませんでした。三人は町の人から相手にされなくなり、いつそザムザみたいな虫になりたいと言ひながら死ぬまでみじめに暮したさうです。

教訓　厄介者をどうにかするのは家族の責任

STANDBILDER

名人伝補遺

昔、趙《てう》の邯鄲《かんたん》の都に紀昌《きしやう》といふ弓の名人がありました。紀昌は、飛衛《ひえい》に学んだのち、西の方霍山《くわくさん》に登つて甘蠅《かんよう》老師の下で修業したと言はれてゐます。しかしどのやうな修業を積んだのかは誰にもわかりません。

九年経つて紀昌は山から下りてきました。その顔付きが余りに変つてゐたので、最初はそれが誰であるかもわからなかつたほどでした。表情のない木偶《でく》のやうな顔をして、まるで仙人になりそこねた乞食か正真正銘の愚者かといふ様子でした。やうやく、これはかの紀昌ではないかと言ふ人がゐて、尋ねると薄ぼんやりした顔のまま、否定はしませんでした。たまたまこの男を見た旧師の飛衛が、間違ひなく紀昌だと言ひ、その顔付きに感嘆して、「これこそ天下の名人、我ら如き、足下にも及ぶものでない」と叫んだことから、名人紀昌の噂はたちまち都中に広まりました。

ところがこの話を不審に思つた男がゐました。その男は飛衛に弓を習つてゐる豪勇の者で、紀昌を絶讃した飛衛の口吻《こうふん》にかすかながら芝居がかつたものを感知し、あの大袈裟な感嘆ぶりの裏には、何か底知れない意図が隠されてゐるのではないかと思はれてならないのでした。飛衛は山から下りてきた紀昌を一瞥してその変貌の意味するところを見抜いたに違ひありません。しかしそれがどういふことであるかをあの恐懼《きようく》の態度から窺《うかが》ひ知ることはできなかつたのでした。そこで紀昌のことをしつこく訊かうとすると、飛衛は木で鼻を括るやうなことしか言はず、お前のやうな者にあの名人の境地を論ずる資格はないとの挨拶でした。「納得できぬといふなら実地に試してみるとよからう。ただしどんな目に遭ふかは覚悟の上でのことだが」と言つて飛衛は冷たい笑ひを浮かべました。

そのうちにも、紀昌の無敵の評判はいよいよ高くなりました。紀昌は一向に弓を手にして妙技を見せるわけではなく、およそ弓について語ることさへありませんでしたが、いつのまにか、「至為は為すなく、至言は言を去り、至射は射ることなし」といふ言葉が紀昌のものとして人口に膾炙《くわいしや》し、やがて雲に乗つて古《いにしへ》の名人を相手に射を競ふ紀昌を見た話とか、紀昌の家に忍びこまうとしただけで一道の殺気に打たれて塀から転落した盗賊の話とかが口から口へと伝はつていきました。

中でも極め付きは次のやうな話でした。ある時、紀昌が知人の許に招かれて弓を見たところ、その名も用途も思ひ出せず、真剣に問ひただすので、主人は驚倒したといふのでした。「古今無双の名人が、つひに弓を忘れたのか」と、人々は感に堪へず、それから当分の間、邯鄲の都では画家は絵筆を隠し、楽人は瑟《しつ》の絃を断ち、工匠は規矩《きく》を手にするのを恥ぢる、といふ有様でした。

この話を聞いて件《くだん》の男は怒り、かつ嗤《わら》ひました。「紀昌を斃《たほ》す。奴の正体を世間に見せてくれよう」と男は決心したのですが、このことは師の飛衛には黙つてゐました。

男は事に処するのに慎重な人間でしたから、何日もの間紀昌を尾行し、その挙措を観察しました。そして確信を得て、ある日外出した紀昌を大通で待ち伏せました。紀昌は老耄《らうもう》した人間の歩き方で近づいてきました。四、五間の距離になつた時、男は紀昌の前に弓と矢を投げ出し、自分も弓を取つて構へました。

最初、男は紀昌が弓に手をかけるや否や、第一の矢を放つつもりでした。しかし紀昌がのろのろと身をかがめて不思議さうに弓を拾ふのを見て、ついその機を逸しました。次の瞬間紀昌の様子は一変して神速の技を見せるのではないかといふ恐怖が男を戦慄させましたが、それも思ひ過ごしでした。痴呆の顔で弓を捨てると、紀昌はおぼつかない足取りで男に近づいてきました。「これが奴の手か。だがその手には乗らぬ」と、男は気力を振り絞つて矢を放ちました。矢は土嚢《どなう》でも射たやうな手応へで、紀昌の胸の真中を射抜いてしまひました。

見物人のどよめきの中で、男は走り寄つて紀昌を抱き起こしました。死相を浮べた老人は、「おれは紀昌だ、名人の紀昌だ……」と呻いたのを最期に事切れました。

男はただちに役人に捕へられました。裁判の結果、あれは弓術の試合であつたといふことになつて、男は放免されました。しかし大通に出たところで男は群衆に取り囲まれ、柱に縛りつけられ、人々が射かける矢を浴びてハリネズミのやうになつて絶命しました。

その前に、男は問はれるままに口を開いて、紀昌が洩らした言葉として次のやうに伝へたといふことです。

「名人はかう言はれた……大勇ハ忮《きか》ラハズ……心ニ事無ク、事ニ心無シ……」

どういふわけか、男はこの機会に人々の好みさうな文句を残しておきたいといふ気になつたと見えます。この言葉は大いに喧伝されて紀昌の名とともに後世に伝はりました。男の名は知られてゐません。

教訓　老人を買ひかぶつてはいけません

盧生の夢

昔、唐の時代に盧生《ろせい》といふ貧しい男がゐました。ある日粗末な着物を身にまとつて狩に出かける途中、邯鄲への街道筋の一軒の宿屋で人品尋常でない老人に遇ひました。この老人は神仙の術を心得た呂翁《ろをう》といふ道士でしたが、盧生は一休みしようと呂翁と並んで腰を下ろし、よもやま話をするうちに、つい溜息まじりに愚痴をこぼしました。

「男と生まれながら、世に容れられず、こんなみすぼらしい暮しをして朽ち果てていくとは何としても情ないことです」

呂翁は言ひました。

「見たところ君は体も丈夫さうだし糊口をしのぐに事足りないわけでもあるまい。どうしてそんな愚痴をこぼすのかね」

「今の私はただ虫けらのやうに生きてゐるだけです。以前には志を立てて学問に励み、そのうちにどんな大官の地位でもつかんで見せると野心を抱いてゐたものです。それが男盛りの年になりながら、いまだにこんな田舎で山野を這ひまはつてゐる。みじめだと思はずにゐられませうか」

さう言ふうちに盧生は無性に眠くなりました。呂翁は袋の中から枕を取出して、盧生に渡しながら言ひました。

「今、主人が黍《きび》を炊いてゐる。炊きあがるまでの間、ひと眠りするがいい。わしの枕で眠れば思ふがままに栄耀栄華を尽すことができる」

それは青磁でできた枕で、両端に穴があいてゐます。盧生が頭を載せるとたちまちその穴が大きくなり、そこへ体ごと吸ひこまれて盧生は枕の中の世界へとはひつていきました。

いつのまにか盧生は清河の崔《さい》氏といふ人の娘を嫁にもらつてゐました。大層美しい娘で、大金持でもあつたので、盧生の暮しぶりは一変し、にはかに運も開けてきました。

翌年には進士の試験に合格しました。まづ宮中の図書を管理する役に就いたのち、天子からぢきぢきの試問を受けて、渭南《いなん》県の尉《じよう》になつたのを皮切りに、監察御史、刺史、採訪使などを歴任し、都の長官に任ぜられるまでに出世しました。その頃、玄宗皇帝は夷狄《いてき》を征討するための将軍に才能ある人物を得たいと思ひ、盧生を御史中丞に任じて河西道節度使を命じました。盧生は夷狄の軍勢を撃ち破つて敵の首級七千をあげるなど、華々しい軍功を立てました。

都に帰ると論功行賞があり、盧生は戸部尚書兼御史大夫の地位を得ました。為人《ひととなり》は潔白重厚で人々の信頼を集めましたが、そのために時の宰相に嫌はれ、やがて讒言《ざんげん》に遭つて端州の刺史に左遷されました。

三年ののちに許されて都に呼び戻されて常侍となり、さらに三人の宰相の一人として十年余り天下の政治を執つて、賢宰相の名を恣《ほしいまま》にしました。ところがそれを妬む人があつて、謀叛を企んでゐると訴へられ、捕手が屋敷へ押掛けてきました。盧生は狼狽して泣きながら妻子に向つて、

「わしには山東に家があり、わづかばかりの田も持つてゐた。飢ゑと寒さをしのぐにはそれで充分だつたのに、どうしてわざわざ宮仕へを求めたりしたのだらう」と言ふと、刀を抜いて自《じ》刎《ふん》しようとしました。しかし妻に制されて思ひとどまり、命は失はずに済みました。同罪に問はれた者はみな死刑になりましたが、盧生だけは有力な宦官《くわんぐわん》がかばつてくれたので罪一等を減ぜられ、驩《くわん》州に流されました。しかし数年後天子は盧生の無実を知つて宰相に復帰させ、燕《えん》国公の爵位を賜りました。

盧生には子供が五人ゐましたが、いづれも抜群の才能に恵まれ、進士に合格してそれぞれに出世の道を歩みました。その嫁たちは豪族の娘で、孫も十人を超えました。

かうして朝廷では天子の信頼も厚く、並ぶ者のない権勢を保つこと五十年にも及び、晩年は大勢の美女を囲つて豪奢な生活を送りました。

やがて寄る年波には勝てなくなり、何度か辞職を願ひ出ましたが、天子はなかなか許さうとしません。盧生が病の床に伏すと見舞の勅使が引きも切らず、天下の名医が呼ばれ、ありとあらゆる高価な秘薬が与へられました。けれどもこれが寿命だつたのか、薬石の効もなく、息を引取る時が近づいてきました。盧生は上奏文を書いて、天子の恩寵に感謝するとともに、今は筋骨すべて衰へはてて御恩に応へることもできずに先立つのは断腸の思ひだと申上げました。するると天子から詔勅が下り、驃騎大将軍高力士が遣はされて盧生を見舞ひました。

その日の夜、盧生は息を引取りました。

夢の中の盧生は、半ば他人事のやうに、ああこれで自分の一生も終つたのか、人生の栄辱、順逆、生死の実相とはこのやうなものかと、憑き物でも落ちた気分で茫然としました。そして我に返らうとして夢うつつの境に来た時、枕の外の明るい世界を背に、長い髭を生やした道士風の老人が立つてゐるのが見えました。老人は盧生に、これからどこへ行くつもりかと尋ねました。盧生は返答に窮しました。夢から醒めてあの黍を炊いてゐる宿屋の店先に帰るのだといふ答がどうしても出てこないのでした。

「お前は呂翁の枕で寝て、一炊の間に自分の人生を見たやうだが、お前が見たのは虚妄の人生で、ただの夢にすぎない。呂翁はわしの弟子であるが、まだ未熟者でな。よろしければこれからわしがお前の本当の人生を見せてあげよう」

さう言つて老人は血の通つた人肌の色をした白磁の枕を盧生に渡しました。

盧生は河間の女と結婚してゐました。大層貞操観念の強い女で、結婚してからは家の外のことに一切興味を示さず、姑に孝養を尽し、夫を敬ひ、夫婦の仲も睦じいのを、一族の中の行ひのよからぬ連中が小癪に思ひ、どうにかして堕落させてやらうと相談しました。

ある日、この親戚の連中が大勢で盧生の家を訪れて、お世辞を並べた上、遊びに行かうと盧生の妻を誘ひました。妻は頑なに断りましたが、盧生は、折角みながあんなに言つてくれてゐるのに、と腹を立て、姑も強く勧めるものですから、妻はいやいやながら車に乗りました。市場を見物したりお寺に詣でたりしたのち、一同は池畔の料亭に盧生の妻を連れこみました。

食事の席に案内され、接待の遊女の歌を聴きながら宴会をしてゐるところへ、あらかじめ帷《とばり》の陰に隠れてゐた不良少年どもが姿を現はしました。中でもひときは容貌の美しい、男の道具も大きな男が盧生の妻の相手と決めてありましたが、この男がいきなり盧生の妻を抱きしめ、泣きわめくのをまはりの遊女たちが脅したり嗤《わら》つたりなだめすかしたりしながら、自分たちは裸になつて男どもと淫らなことを始めるのでした。盧生の妻も思はず興奮して、相手の男の顔を見ると、これがほれぼれするほどの男前でした。男はそのまま盧生の妻を抱いて別室に運び入れ、思ひを遂げました。

妻は大層満悦して、そのあとは自分から求めて何度となく男に身を任せる有様でした。日が暮れて、一同は帰り支度を始めましたが、妻は帰らうとしません。「この人と別れる位なら一緒に死んでしまひます」などと口走ります。止むなくその日はそこに泊らせ、困りはてた親戚の者が盧生に事情を打明けたので、盧生が迎へに行きました。妻はやうやく翌日になつて一旦帰る気になつたものの、別れ際に姦夫を抱きしめて泣き、腕に嚙みついて誓ひを交はしてから車に乗る有様でした。

このことがあつてから盧生の妻は大変な淫婦になつてしまひました。もはや夫の盧生には口を利かうともせず、気違ひじみたことを口走つたり裸になつて淫らな恰好を見せたりするので、盧生は例の姦夫の出入りを許し、やがて妻がその男に飽きると、鼻の大きな男、若い美貌の男、精力絶倫の中年男など、淫婦の気に入りさうな男を次々にあてがふほかありませんでした。それでも妻は盧生を憎み、軽蔑して、何とかして夫を亡きものにしようと企んだ末、夫が神を招きおろして呪詛《じゅそ》を行つてゐると訴へ出ました。取調べたところ、証拠が揃つてゐるので、天子は大層怒つて、盧生を笞《むち》で打ち殺させました。息が絶えようとする時に、盧生は妻に申訳ないとつぶやきました。

かうして盧生は死にましたが、その後も淫婦が男を連れこんで淫乱の生活に耽つたあげく、精気が尽きて死ぬところまで見とどけました。町の素行のよからぬ男どもでさへ、この女の名を聞くと、顔を顰《しか》めて耳を掩《おほ》ふほどでした。

溜息をつきながら盧生が歩いてゐると、先程とは違ふ道士風の老人が盧生を呼びとめます。盧生はその老人の誘ひに従つて、また枕を借りました。そして違ふ人生を見ました。今度は天子を弑《しい》して自分が天子になる人生でしたが、その最期は宦官の手にかかつて暗殺されるといふものでした。

茫然として歩いてゐると、また別の老人に遇ひました。枕を借りて別の一生を見たあとにはかならず次の老人がゐて、限りがありませんでした。

さて、邯鄲への街道筋の宿屋ではやつと黍が炊きあがりました。盧生はまだ眠つてゐます。

道士の呂翁は黍を食べ終ると枕の穴の中を覗《のぞ》きこみました。そして、「これはしまつた。先生がまた悪戯《いたづら》をなさつた。わしの手に負へることではないわい」と独り言を言ひ残し、枕を袋にしまひこむと飄然《へうぜん》と立去りました。

盧生はいつまで経つても目を覚ましません。数日後、困つた主人は役人に届け、その指示に従つて、盧生を死んだものとして葬つてしまひました。

教訓　人生は覚めることのない悪夢である

養老の滝

昔、美濃の国に親孝行の樵《きこり》が住んでゐました。ひどい貧乏で、年を取つた父親に三度の御飯を満足に食べさせることもできないほどでした。そんな時には自分が食べるものも食べないで、父親にだけは不自由な思ひをさせないやうにと心がけてゐましたが、父親は何よりもお酒が好きで、三度の御飯には事欠いてもお酒なしには我慢ができない性でした。この性だけは死ぬまで直らないと思ひましたので、樵は諦めて、少しでも好きなお酒を飲ませて余生を楽しく送らせてあげたいと念じてゐるのでした。しかし貧乏な暮しはいつかうに楽にならず、柴を刈つて得たわづかなお金では、酒を少々買ふとその日の米も買へない有様でした。酒が買へなかつたり足りなかつたりした日は、父親は機嫌が悪く、口汚く当り散らすので、孝行息子の樵は辛い思ひをしました。

ある日、樵はいつものやうに柴を刈りながら、次第に山奥へとはひつていきました。前の日にお酒が買へなくて父親が大暴れしたことを思ふと、今日は何としてもいつもの倍の柴を刈らなくては、と夢中になつてゐたのでした。気がついた時は日が暮れかけてゐました。喉が渇いたので水のありさうなところまで下りていきましたが、その途中で足を痛め、「ああ、こんな暮しはつくづくいやになつた」と思ひました。そして、どこかに只のお酒が無尽蔵に湧いてゐる泉でもないものかと、自棄《やけ》半分に考へながらあたりを見まはすと、岩の間から綺麗な水が流れ落ちてゐるのに気がつきました。気のせゐか、近づくにつれてえも言はれぬ芳醇なお酒の香りがします。一口飲んでみると、それは紛れもなく本物のお酒でした。それも、これまで口にしたこともないほどの上等のお酒に違ひありませんでした。

「有難い、有難い」と口走りながら樵はいつも携へてゐる瓢簞《へうたん》に一杯このお酒を汲んで、無我夢中で山を駆け下りました。

家では廃人のやうになつた父親が息子を罵りましたが、持つて帰つた酒を一口飲むと、すつかり人が変つたやうに上機嫌になりました。

「こんな旨い酒は初めてだ。一体どこの酒屋で買つたのか」と父親が言ふので、山奥の谷間で不思議な酒泉を見つけたことを話すと、父親は有頂天になり、明日にでもそこへ出掛けて、思ふ存分酒を飲みながら命を終へたいなどと言ひます。日頃は酒を口にしない息子の方も、この神仙のものとしか思へない酒の味を覚えてしまふと、何もかもどうでもよいといふ気持になるのでした。

さて、樵が不思議な酒の泉を見つけたといふ噂は国中に広まり、やがて天子様のお耳にも達しました。そこで天子様も、樵の孝行の徳がそのやうな瑞祥《ずいしやう》を招いたのであらうと大層お喜びになり、その泉に養老の滝といふ名をお付けになりました。

ところがそれから一年と経たぬうちに、よからぬ噂が聞こえてきました。調べさせてみると、只の酒が無尽蔵に湧いて流れてゐるといふ評判を聞いた酒好きの者どもが、百姓も漁夫も商人も、その業を棄てて養老の滝に群がり、そのまま酔死するもの数知れず、谷は悪臭に満ちてゐるとのことでした。天子様はお怒りになつて、養老の滝に近づくことを禁じるとともに、かの樵の親子を捕へて斬罪とされましたが、禁制の谷を目ざす者は跡を絶ちません。つひにさる知恵者の言を容れて、養老の滝の周囲に柵をめぐらし、関所を設けて黄金を徴収するに至つて、騒ぎはやうやく止みました。そのうちに酒の泉は自然に涸れて、関所の柵も朽ちたといふことです。

教訓　ただ酒は人を堕落させる

新浦島

昔、ある海辺の村に浦島太郎といふ漁師が住んでゐました。四十になつてもまだ独り者で、八十になる母親と二人暮しでした。毎度のことながら、「浦島や、いつになつたら嫁がもらへるのかねえ」と母親がこぼすと、「こんな貧乏暮しの身で嫁をもらつても食はせていけるわけがないだらう。お母さんが死ぬまでは嫁はもらはないよ」と浦島は言ひ返し、母親も溜息まじりに、「私がゐなくなつてもお前のやうな男の嫁に来る女がゐるのかねえ」とつぶやくのでした。

秋になつて北風が吹き、漁に出られぬ日が続くと食べるものにも窮して、浦島は母親と口をきく気も起こらず、ひたすら天気がよくなるのを待つて寝ころんでゐるほかありません。ある朝、少し空模様もよくなつたので、浦島は舟に乗つて漁に出ました。しかし魚は一尾もかかりません。そのうちに、日が高くなつてきたはずの空は段々と低く垂れて、あたりは夜とも昼ともつかぬ黄色い光に満たされ、海は白い波も立てずに騒ぎ始めました。どうしたことか、水も妙に生温かく、血でも混つたやうな匂ひまでします。薄気味悪くなつて舟を返さうとした時、大きな魚が食ひついた手応へがありました。引上げてみると、見たこともない大きな亀でした。「鯛かと思つたら亀か。お前なんかがゐるからほかの魚は食はないのだ。放してやるからよそへ行け」と言つて浦島は亀を逃がしてやりました。

空はますます低く狭く、あたりは薄暗くなりました。浦島は、自分がどこへ向かつてゐるともわからないまま、いつもと様子の違ふ海の上を漕ぎ進んでいきました。するとまた、さつきの大亀がかかりました。浦島は今度も亀を逃がしてやりましたが、すつかり気が滅入つてきました。そして、あんな亀でも甲羅を剝がして肉を食べたら母親と二人で何日食ひつなげるだらうか、でも果たして口に合ふだらうか、などととりとめのないことを思ひめぐらしてゐると、突然その大亀が舟べりに両手をかけて顔を現しました。驚く浦島に亀は、「これから竜宮へ行つてみませんか。乙姫様もお待ちですよ。私が御案内致しませう」と話しかけてきました。

「俺がこのまま竜宮へ行つてしまつたら、あとに残つた母が困る。そんな勝手なことはできない」と浦島が断ると、亀は、浦島が留守の間母親には魚を沢山届けて食べるものに不自由させない、と約束するものですから、浦島もついその気になつてしまひました。いつの間にか亀の甲羅が左右に裂けて、優に大の男一人を容れるほどの隙間が見えてゐます。まるで棺に入るやうだ、と思ひながら浦島がその赤い肉の舟にはひこむと、甲羅は閉ぢて、亀は海の底深く潜つていきました。

暗闇の中に閉ぢこめられた浦島は、亀の肉の中に包まれて眠りに落ちたのか、死んでしまつたのか、それさへさだかでなくなつた頃、不意に体が楽になつて、そこはもう竜宮でした。柱も部屋も、すべてが薄暗い水の底でゆらめいてゐましたが、いつかどこかで見たことがある眺めのやうな気もします。乙姫様もさうでした。お母さんが若い頃はこんなだつただらうかと思ひました。そのほかにも若い娘が大勢ゐて、魚のやうに水の中の柱を縫つて泳ぎまはつてゐるのは、話に聞いた遊廓もかくやと思はせるものでした。

浦島は乙姫様や侍女たちに着替へをさせてもらひ、御馳走になつて手厚いもてなしを受けてゐるうちに時の経つのも忘れてしまひました。乙姫様は時々、「もうそろそろお母様が恋しくなつたのではありませんかしら」などとは言ひますが、浦島がぐづぐづしてゐると強ひて帰さうとするでもなく、たうとう三年が過ぎました。

「今日こそ帰らなければ」と浦島が言ひだすと、乙姫様はもう引留めようとはしませんでした。浦島は本当のところまだ心を決めかねてゐたのですが、こんなに長い間母親を放つておいたので、帰る時は何か立派なお土産がいるなどと言つてみました。すると乙姫様は由緒ありげな箱を浦島に差出して、「困つた時はこの玉手箱を開けてごらんになるといいわ」と言ひました。お土産までもらつてはこれ以上竜宮に留まるわけにもいかず、浦島は来た時のやうにまた大亀の甲羅の下にはひり、今度はあつと言ふ間に郷里の村の浜に帰つてきました。

　村の様子はすつかり変つてゐました。でも遠い昔の村に帰つたやうな、妙に懐しい気持がしました。村人の中にも知つた顔はなく、相手も誰一人として浦島やその母親のことを知りませんでした。途方に暮れた浦島は乙姫様の言葉を思ひ出して玉手箱を開けてみました。すると中から白い煙のやうなものが出て、浦島はたちまち生まれたばかりの赤ん坊になつてしまひました。悲しくなつて泣いてゐると、やがて漁師の家の嫁《い》かず後家が通りかかつて赤ん坊を拾ひ上げました。そして女はこの赤ん坊を浦島太郎と名づけて自分の子として育てたといふことです。

教訓　独身男には母胎回帰願望があるのです

猿蟹戦争

昔、サルが柿の種を拾ひました。カニが握り飯を持つてゐるのを見て、サルは柿の種と握り飯を取り換へようと言ひました。カニも承知して柿の種を受け取りましたが、まづくて食へないので怒つて畑に捨てておくと、やがて芽が出て、みるみる大きくなつて、見事な柿がなりました。そこでカニはサルのところに行つて、柿の実を取つてくれたらお前にも好きなだけ食はしてやらうと話を持ちかけました。「本当だな」と念を押してからサルは木に登つて、熟れたのは自分が食べ、青いのをカニに投げつけました。カニが怒つて、「また騙したな」と責めると、サルは「俺がいつ騙した」と言ひ返して青い柿を投げつけるので、カニは逃げながらサルの悪口を並べました。今度はサルが怒つて、カニを穴の中に追ひつめると、尻を突き出して糞をひつかけようとしました。カニはサルの尻を鋏ではさみました。サルは悲鳴を上げ、「後生だから放してくれ。俺の尻の毛を三本やるから」と言ひました。サルの尻が赤く、カニの鋏に毛が生えてゐるのはこんなわけです。

ところで、サルはお尻が真つ赤になつたのを根に持つて、カニが水を飲みに来る小川に小便をしました。そしてカニがその水を飲んだのを見て、「ざまあみろ」と溜飲を下げました。そのうちに、どういふわけか、カニは体が痺《しび》れる病気になりました。おまけに甲羅は赤黒く腫れ上がり、やがて石のやうに堅くなつて、眼は大層醜く飛び出してしまひました。そのカニのところへ見舞ひに行つて、サルが小川に小便をしてゐたと告げ口をしたものがありました。きつと、以前サルに小便をひつかけられたことのあるナメクヂだつたのでせう。そこでカニはサルの小便の毒に当たつてこんな体になつたと騒ぎたてます。それを聞いた森の動物たちはみんなカニの言ひ分を真に受けてサルを非難しはじめました。やつと体が動くやうになつたカニは、以前のやうに縦には歩けないので横に這ひながら森中の動物に自分の体を見せて訴へてまはりました。森の動物たちは集まつて、カニのためにサルをやつつける相談をしました。カニの他にも、サルの小便のせゐで眼が赤くなつたと言ふウサギや、喉をやられて鳴き声が悪くなつたと言ふキジや、体中に疣《いぼ》ができたといふヒキガヘルもゐて、口々にもとの体を返せと叫びました。大変な騒ぎにサルは恐れをなして、高い木の梢に姿を隠したきり下りてきません。森の動物たちは木の下に集まつて罵ります。サルは自分の方にも言ひ分があると、真つ赤なお尻を見せて説明しようとしますが、下にゐる動物たちはサルのお尻を見るとますますいきりたちました。カニやウサギやキジやヒキガヘルにまづ謝れと言はれるので、サルは木の上から「ごめんなさい」と謝りましたが、動物たちは承知せず、木から下りて土下座して謝れと叫びます。しかし下りていつたらどんな目に遭ふかわかつてゐるのでサルはあくまでも木の上で頑張りました。そのうちに我慢できなくなつて小便を洩しました。集まつてゐた動物たちは恐しいサルの小便が降つてくるのを見てあわてふためいて逃げ散りました。

　さてそれから森の動物たちはどこかで相談を重ねて、サルを討つための義勇軍を募ることにしたさうです。そして一説によると、ハチと栗と臼が、また一説によると心張り棒とハサミムシとニガムシと畳針と臼とべた糞が、さらに別の説によるとカラバトとムカデとウナギと才槌《さいづち》と雄牛が、力を合せてサルを討ちに出かけたと言はれます。例へば、カラバトたちの部隊の作戦はかういふ段取りだつたさうです。雄牛はサルの家の門の前に立ち、カラバトはかまどの前に坐り、ムカデはひしやくの柄に這ひ、ウナギは雨だれ石に寝そべり、才槌は戸口の桁の上に上がり、サルが帰つてくると、火をくれと言ひます。サルがかまどに行つて火を入れようとすると、カラバトが羽をばたばたさせ、灰が目にはひつたサルはあわててひしやくを取つて目を洗はうとするとムカデに噛まれ、座敷に逃げて上らうとするとウナギを踏んで滑り、その上に才槌が落ちてきて背骨を折られ、門から逃げようとするところを雄牛に突き殺されるといふ段取りでした。

でもそんな風に事がうまく運んだといふ話は聞きません。サルはあれ以来木から下りようとせず、ずつと木の上で暮してゐるからです。

教訓　「＊＊を支援する会」事始め

かぐや姫

昔、竹取りの翁と呼ばれるおぢいさんがありました。野山に分け入つて竹を取つてゐましたが、ある日根元の方が光つてゐる竹を見つけ、不審に思つて調べると筒の中に光つてゐるものがあります。見れば三寸ばかりの可愛い女の子でした。余りの可愛さに、おぢいさんはその子を手に取つて家に帰り、おばあさんに見せて、大事に育てることにしました。

このことがあつてから、そのあたりの竹を切ると、節の間に見たこともない緑色の土のやうなものが詰まつてゐることがあり、女の子はそれを食べてすくすくと大きくなりました。食べ残したその土のやうなものは、いつのまにか黄金に変はつてゐるのでした。おかげでおぢいさんは国一番の長者になりました。

三月も経つと、女の子はもう年頃の娘に育ちましたので髪を上げさせ、綺麗な着物を着せてお祝ひをしました。何しろ大変な美しさで、その娘がゐるだけで家の中が不思議な光に満たされるやうです。しかるべき人に頼んで名を付けてもらひ、なよ竹のかぐや姫と呼ぶことになりました。

やがて噂が広まると、世間の男たちは貴賤を問はず、このかぐや姫を妻に得たい、一目見たいと押しかけてきました。おぢいさんとおばあさんは相談の上、その中で身分も容姿も卑しからぬ男を五人に限つて、求婚者として扱ふことにしました。その名は、石つくりの皇子《みこ》、くらもちの皇子、右大臣あべのみむらじ、大納言大伴のみゆき、中納言いそのかみのまろたりと言ひました。この者たちはかぐや姫に会はうと家のまはりをうろついたり、しつこく文を寄越したりするのですが、姫の態度は厳しく、いつかうに埒《らち》があきません。

このままでは収拾がつかないので、おぢいさんとおばあさんはいやがるかぐや姫を説き伏せて、五人の求婚者といちどきに面接して話を決めることにしました。

当日、五人は集まつて、ある者は笛を吹き、ある者は歌を歌ひ、ある者は詩を吟ずるなどしてかぐや姫の気を引かうと努めてゐるところへ、まづおぢいさんが出てきて挨拶をしました。

「いづれも優劣つけがたい方々ばかり、しかも御志のほどはよく存じ上げてをります。ここは恨みを残さぬやう、姫から註文を出させて、誰よりも早く成就した方に姫を差し上げることにしたいと存じます」

そこでかぐや姫が口を開いて、一人一人に手に入れてもらひたい品を指定しました。

「石つくりの皇子には、仏の御石の鉢といふものを取つてきていただきます。くらもちの皇子には東の海の蓬莱《ほうらい》に生えてゐる、根は銀《しろがね》、茎は金《こがね》、それに白い玉の実のなる木の、その玉の枝を取つてきていただきます。あべの右大臣には唐土《もろこし》にあるといふ火鼠《ひねずみ》の皮衣《かはぎぬ》を、大伴の大納言には龍の頸に光る五色の玉を、いそのかみの中納言には燕の腹にある子安貝を、それぞれ取つてきていただきます」

おぢいさんは驚いて、「何とむづかしいものばかりではないか。この国にないものもある。そんな難題を申し上げて何とするつもりぢや」と言ひましたが、姫は澄まして、「ちつともむづかしいとは思ひませんわ。私のために手に入れて下さるのが難儀だとおつしやる方には、初めから諦めていただくしかありません」と言ふばかりです。「とにかく、あのやうに申してゐることですから」とおぢいさんがとりなすと、五人の求婚者は先を争ふやうにして帰つていきました。

　そのあとで、おぢいさんとおばあさんがかぐや姫に本心を訊いてみると、かぐや姫は首を振り、どの候補者も身分はまづまづながら、人物が平凡で気乗りがしないといふ返事でした。おぢいさん、おばあさんの目には皆非の打ちどころのない貴公子に見えましたが、さう言はれてみると、かぐや姫の輝くばかりの美しさに比べて、あの五人には確かに輝かしいものがありません。

「なるほど、姫の前ではこの世の大概の男が石ころ同然に見えるのも無理はない。しかしあのやうな身分の方々をお断りすると、あとは、畏れ多いことながら、帝《みかど》しかいらつしやらないではないか。まさか姫は……」

　するとかぐや姫はきつぱりと、

「帝なら何も註文は付けませんわ」と言ひましたので、おぢいさんもおばあさんもおなかの底が抜けるほど驚いてしまひました。

「それでは姫はあの五人の方々をお断りするつもりですか」とおばあさんが尋ねました。

「どうやつてお断りするのか。万が一、姫の註文した品物を取つてこられたら何とする」

「そこは考へがございます」

かぐや姫は平然としてさう言ふと、おぢいさんとおばあさんに策を打ち明けて万一の時の手配をしてもらひました。

石つくりの皇子は、これから天竺《てんぢく》へ仏の御石の鉢を取りに行くと言ひ残して姿を消してゐましたが、三年も経つた頃、錦の袋に入つた煤《すす》けた鉢を持つてきました。かぐや姫は、天竺に二つとないものが手に入るはずがないとは思ひましたが、あらかじめある山寺から拾つてきてあつた石鉢とすり替へてしまひました。それを磨かせてみましたが、少しも輝く様子がありません。どうせどこかで拾つてきたものでせうと言つて門に捨てさせると、石つくりの皇子は思ひ当たるところがあつたと見え、恥ぢ入つて帰つて行きました。

くらもちの皇子はひそかに鍛冶匠《かぢたくみ》に作らせた玉の枝を持つて現れました。かぐや姫の方では手を回して同じ鍛冶匠に同じ玉の枝を作らせてありました。蓬萊まで行つてきた苦労話をしてゐる皇子の前にこの同じ玉の枝を出してみせると、皇子は恥を掻いて引き退りました。

あべの右大臣はいかにもそれらしい皮衣《かはぎぬ》を持つてきました。これは本物かもしれないと思つたかぐや姫は、あらかじめ用意してあつた皮衣とすり替へた上、火鼠の皮衣なら燃えないはずでせうからと言つて、それを火中に投じさせました。皮衣はめらめらと燃えてしまひました。

大伴の大納言は龍の頸の玉を取りに海へ出たもののさんざんな目に遭つて諦め、いそのかみの中納言も燕の巣を取らうとして高い所から落ち、腰骨を折つてしまひました。

さて、かうして五人の貴公子が失敗した話がやがて帝の御耳にも入り、今度は帝御自身がこの絶世の美女と評判の高いかぐや姫を妃に迎へようと決心なさつたのでした。にはかに日を定めて狩に出た折にかぐや姫のところに輿《こし》を寄せ、一目御覧になるなりその美しさに打たれて、帝は魂も抜けたやうになりました。それからは毎日のやうにかぐや姫のもとに御文を遣はし、御返りも帝の御心に応へるものでした。

　ところがその頃からかぐや姫は夜になると月を見て物思ひにふけるやうになりました。帝のもとに参るのを嫌がつてゐる風でもありませんので、おぢいさんとおばあさんは心配してかぐや姫に思ひ患ふ訳を尋ねました。するとかぐや姫は溜息をつきながら、かう打ち明けました。

「今まで申し上げることができずに過してまゐりましたけれど、実は私は天上の星の一つからやつてきて姿形を人間に変へてゐる者でございます。この次の満月の夜に私の星の国から迎へがまゐります。思ひがけなく人間の世界にとどまつて、お父様お母様の御恩を受け、帝の御寵愛までいただきましたのに、ここでお別れするのは悲しくてたまりません。何とかしてここにとどまりたいと思ひます。でも天上では天帝である父も、また母も私を待つてゐるに違ひありません。迎へにくる天人たちは無理にでも私を連れて帰ることでございませう」

　さう言つてかぐや姫は涙をこぼしました。

　おぢいさんとおばあさんは驚いてこのことを帝に申し上げました。帝も大層嘆き悲しんで、かぐや姫を天人たちに渡すまいと、早速二千人の兵《つはもの》を選りすぐつて家を囲ませました。

　満月の夜が来ました。月は皓々《かうかう》と照つてゐましたが、空は次第に明るくなり、何百もの満月

が輝くやうな明るさになりました。そして不思議な光を放つ大きな卵のやうな乗物が静かに地上に下りてきました。兵たちはその光を浴びると体が痺れて動けなくなりました。やがて乗物の底に口が開くと、かぐや姫はその中に吸ひこまれて姿を消しました。

中には天人たちが立ち並んでゐました。かぐや姫も今は天人の姿に戻つてゐました。天人の一人が一歩進み出て、かぐや姫に自分の国に帰るつもりがあるかと尋ねました。かぐや姫が不審に思つて両親のことを口にしたところ、天人は硬い声で言ひました。

「天帝は亡くなられた。訳あつて処刑されたのです。今は新しい天帝が位に就いてをられる。姫は、お帰りになれば罪に問はれることなく天帝の侍女としてお仕へしていただくことになります」

かぐや姫は悲しみと驚きで頭が混乱して立ちすくんでゐましたが、侍女といふ言葉で気持が固まりました。

「もし帰りたくないと言へば……」

「それも結構」

天人の隊長らしい男はさう言つてお辞儀をしました。

「では私を下ろして下さい」

卵の形をした光る乗物は地上から浮き上がりました。やつと体が動くやうになつた人々がそこへ駆け寄つた時、底の口が開いて何やら得体の知れぬ塊が、まるで生み落とされたやうな具合に出てきて地上にころがりました。乗物はそのまま高く舞ひ上がつて見る見る天の一角に消えていきました。

あとに残されたのは、目も口もない、手足もわからぬ肉の塊で、それが身をふるはせながら、絶え入るやうな声で、何やら物を言つてゐます。人々が近づいて聞くと、「人間の姿にかへして下さい」と聞こえ、またおぢいさんとおばあさんの名を呼び、つひには「みかど、みかど」と悲しげに呼ぶのが聞かれました。

「この化物め」と叫んで武士たちが斬りつけました。たちまち肉塊は切り刻まれてばらばらになつたまま動かなくなりました。

帝はこの話を聴くと、沈痛なお顔で、かぐや姫の変り果てた亡骸《なきがら》をせめて天に一番近い山で茶毘《だび》に付すやうにと命ぜられました。

鉄《くろがね》のやうに固まつた肉塊はふじの山に運ばれて燃やされましたが、いつまでも燃えつきることなく煙を上げてゐたといふことです。

教訓　かぐや姫は宇宙人だつた。そして宇宙人は醜い

三つの指輪

昔、東方の回教徒の国に賢い王様がありました。ある時王様は差し迫つて多額の金子《きんす》が入用になり、その国随一の大富豪で賢者の誉れも高いユダヤ人からその金子を調達しようと思ひました。しかし国王の力を使つて脅したり財産を没収したりするのはいやでしたので、理窟に合つた口実を見つけて、ユダヤ人が自ら出さずにはゐられないやうに仕向けようと思案しました。そこで早速このユダヤ人を呼んで、かう言ひました。

「余はお前が非常な賢人であると聞いてゐる。よつて尋ねたいが、この世には自ら真なりと称する三つの宗教がある。その中で本当に真なるものはどれか。お前ならきつと正しい答を聞かせてくれるにちがひない」

ユダヤ人は考へました。それはユダヤ教であると答へれば、王の宗教を侮辱したかどで身に危害が及ぶことは避けられない。回教であると答へれば、自らを偽つた答をなしたかどで、またキリスト教であると答へれば、王の宗教を軽蔑し、かつ父祖の宗教を裏切つたかどで、いづれにせよ責められることは免れまい。

そこでユダヤ人はおもむろに答へました。

「陛下、御下問にあづかりました難問につきまして、私の考へを申上げるには、まづ一つの物語をお話し申上げるのが一番かと存じます」

「申してみよ」と王様が促すので、ユダヤ人は話を続けました。

「昔、あるところに神から伝へられたといふ指輪を持つた男がありました。その指輪は大層美しい上に隠れた力があり、神を信じてそれを指に差してをりますと、その者を神に結びつけ、その者の信仰を守つてくれるのでございます。男はこの指輪を永久に子孫に伝へたいと思ひ、それを息子の中でも一番可愛がつてゐた者に与へ、またそれを持つてゐる者が財産を相続して家の長たるべきことに決めたのでございます。さてかうして指輪は息子から息子へと伝はつて、つひにある時三人の息子を持つ男の手に渡りました。この男は三人の息子を等しく愛してをり、三人それぞれにその指輪を与へることを約束してしまひました。やがて死が近づいた時、この父親は途方に暮れました。依然としてどの息子を選ぶべきか判断がつかず、また誰か一人を選べば、自分の言葉を信じてゐる他の二人の心を傷つけることになるので父は大層苦しみました。そのあげくに、父はひそかに腕利きの職人に頼んで例の指輪とそつくりな指輪を二つ作らせました。できあがつてみるとそれは見事な出来栄えで、父の目にもどれが本物か、まつたく見分けがつきませんでした。父は息子を一人づつ呼んで指輪を渡し、そして息を引取りました。

ところが、父が死ぬや否や、大騒動が持ち上がりました。三人の息子はそれぞれ自分の指輪を見せて、自分こそ正しい相続人であると主張して争ひ始めたのでございます」

「何と愚かな！　してその決着はどうついたのか」

「三人の息子は、本物の指輪を持つてゐるのは誰で、従つて誰が正しい相続人であるかを決めてもらふために裁判所に訴へたのでございます」

「ちよつと待て」と王様は制しました。「これは面白い訴訟である。慰みに、キリスト教徒はこの件についていかなる判断を示すか、意見を徴してみることにしよう」

さう言つて王様は早速、この国にゐるキリスト教徒の法律家を十二人呼び出しました。

第一番目の法律家はかう言ひました。

「三人のうち、本物の指輪を持つてゐるのは真なる信仰を持つてゐる息子であります。それは言ふまでもなくキリストの教へに従つて神を信じる者を措《お》いてはありません。なぜなら、キリストの指輪、いや教へだけが真なるものであるからでございます」

王様は不興げに手を振つて、「その意見は本件の裁きとは関係がない」と言ひ、この者を連れていくやうにと命じました。

二番目の法律家は、本物の指輪には特別の効力があるはずだからそれが顕れるのを待つて判定すべきだといふ意見を述べましたが、王様は納得せず、「その効力は本人にしかわかるまい」と言つてその法律家も退けました。

「すべてを知つてゐるのは天なる父であります。赴いてその言葉を聴くべきでありませう」と三番目の法律家が言ふと、王様は「いかにして」と訊き返しました。沈黙があつたのち、王様は、「知恵のない奴め。下がれ」と言ひました。

四番目の法律家は、この話の父とは神であり、指輪は父のなし給ふた奇蹟によつて三つに増えたのであつて、それらはいづれも本物と解すべきである、といふ説を述べました。「そんな都合のよい説は三人の息子も信じまい」と王様は一蹴しました。

五番目の法律家は、

「指輪は三つとも本物でございます。なぜなら、三人は父の言葉を信じ、自分の指輪こそ本物であると信じて疑はないことは明らかでございますから」と言ひました。

「それでは本件の解決にはならぬ」と王様は首を振りました。

六番目の法律家は、本物の信仰を持つてゐる者が本物の指輪の持主であるといふ立場に立つて、誰の信仰が本物であるかを調べるべきである、と言ひました。

「三人とも、あるいは二人までその信仰が本物であつたらどうするか」

「正しい信仰はつねに一つでございます」

「それはいかにして判別することができるのか」

これには答へられなかつたので、王様は次の法律家を連れてこさせました。七番目の法律家は、本物の指輪は父が隠すか棄てるかしたにちがひない、といふ推論を述べました。

「では三つとも贋物だと申すのか」

「残念ながら」

「大胆な意見ではあるが証拠がない」

八番目の法律家も似たやうな意見でしたが、本物は職人が盗んで自分のものにした公算が大きい、父にも見分けがつかなかつたのはそのためであらうといふ推論を付け加へました。

九番目の法律家は、裁判所が取り敢へず三つの指輪を預かつて専門家の鑑定に委ねるのが至当であらうと言ひ、十番目の法律家は、三人が争ひを止めないなら裁判所が指輪を三つとも没収すべきであると言ひました。

十一番目の法律家は、理由は何であれ、指輪はいづれも贋物であると思はれるが、三人とも本物と信じてゐる以上、本物と見なして差支へない、それで裁判所としては三人に和解を勧めるしかない、と言ひました。最後の、十二番目の法律家は、三人に思ふ存分争はせ、殺し合ひでも何でもさせるがよい、神の加護によつて勝ち残つた者が本物の指輪の持主であらう、と放言して王様を怒らせました。

「あの者共にふさはしいやり方だ」と言つてから、王様は再びユダヤ人に向かつて尋ねました。「ところで、お前の話では裁判所の決定はどうなつたのかね」

「その前に伺つておきたいことがございます」とユダヤ人が言ひました。「あのキリスト教徒たちはいかがなさいましたか」

「余の国から追放した」

「左様でございますか。実は裁判所では三人の訴へを門前払ひにしたのでございます。ただし若干の忠告と警告を付けて」

「さうであらう。余が裁判官であれば、かう申し渡す。本官は訴へに言ふ指輪の話を信じない。そもそも問題の指輪が実在したといふ証拠はどこにもない。すべては虚偽の、あるいは想像上の話の中にあるかもしれぬ。かかる性質の訴へは裁判所の関知するところではない。もしも指輪が訴へに言ふ如く、それを真なりと信ずる者にとつてのみ真であり、第三者には窺ひ知れぬ効力を持つのであれば、そのやうな物は愚かで弱い者の救ひにはならう。そこで各自、己れ専用の指輪を差して救ひを求めるがよい。それは彼らの自由であり、当裁判所の干渉するところではない。俗に言ふ、『勝手にしやがれ』といふことであらうか」

「まさに適切な御忠告かと存じます」とユダヤ人はにつこり笑つてうなづいた。「裁判官の付言したところもそのお言葉とほとんど寸分違はぬものであつたと聞いてをります。なほ、この三人はその後……」

「どうなつたと申すか」

「あの最後のキリスト教徒が述べたやうなことになつたさうでございます。ただし、残念なことに、神の加護を得てその信仰と指輪の真なることを証明し得た者はなく、三人とも争ひのうちに生命を失つたと聞いてをります」

「で、その指輪の方はどうなつたのか」

「行方知れずでございます」

「お前は指輪を持つてゐるのか」

「持つてをります。お見せするほどのものではございませんが」

「余がどんな指輪を持つてゐるか、知りたいと思はないのか」

「恐れながら、王様」とユダヤ人は微笑をたたへて言ひました。「私は他人様の指輪を拝見したいなどと思つたことはございません。そもそも他人様が指輪を持つてゐるかどうかも、私にとりましては関心の外でございます」

「実は余は指輪といふものを持つてゐない。まさかと思ふだらうが」

さう言つて王様はにやりと笑ひ、その強大な権力にふさはしい大きな手を広げてユダヤ人に見せました。それから調子を改めると、

「ところで、そろそろ商談にはひりたい」と言ひました。

王様が借用したい金額を告げると、ユダヤ人は喜んで御用立て致しませうと応じて話は即座にまとまりました。何年か後に、王様は約束通り利子を付けてこのお金を全額返済し、二人は互ひに敬意を抱いていつまでも友人であり続けたとのことです。

教訓　真の賢者は「指輪」をもたない

ゴルゴーンの首

昔、世界の果てにゴルゴーンといふ恐ろしい怪物が棲んでゐました。この怪物は三人姉妹で、上の二人は不死身でしたが、一番下のメドゥーサだけは不死身ではありませんでした。大層恐ろしい姿をしてゐて、その髪の毛は一本一本が生きた蛇で、歯は猪の牙に似て、手は青銅、翼は黄金でできてゐましたが、何よりもその顔の醜さは譬《たと》へやうもなく、一目見た者はたちまち石に変はると言はれてゐました。怪物たちもそれを承知してゐましたから、世界の果ての誰も知らないところで姉妹仲よくひつそりと暮らしてゐました。

ところがある時このゴルゴーンの首を切り落とさうといふ英雄が現れました。英雄といふのは神と人間の合ひの子のことで、この英雄ペルセウスはダナエーに思ひをかけたゼウスが、高い塔に監禁されてゐるダナエーのところへ黄金の雨に姿を変へて忍びこんで交はつて生ませた子でした。ペルセウスは故あつて母のダナエーと一緒に国を追はれて、ある島に身を寄せてゐました。やがてその島の王ポリュデクテースがまだ容色の衰へぬダナエーに目をつけてしきりに言ひ寄り、断られると、逞《たくま》しく成長した息子のペルセウスを邪魔にして、口実を設けて追ひ払はうとしてゐたのでした。ある時この王様から難題を吹きかけられて、ペルセウスはたうとうゴルゴーンの首を切り取つてこなければならない羽目に陥りました。

これを知つたゼウスの命令なのか、お節介焼きの本人の意思なのか、女神のアテーナーがヘルメースと一緒にこの冒険に手を貸してくれることになりました。アテーナーが案内役を買つて出ると、ヘルメースは隠れ蓑《みの》ならぬ隠れ兜《かぶと》と空を飛ぶ靴を貸してくれ、ニンフはゴルゴーンの首を入れる袋を貸してくれました。ペルセウスがまづ行つたのはグライアイといふ三人の妖女のところでした。ゴルゴーンの居所を知つてゐるのはこのグライアイだけだつたのです。妖女と言つてもこれがまた世にも奇怪な老婆で、三人で一つの目と一本の歯を共有してゐて、一人が使ふ時には他の一人から取つて自分の穴に嵌めこむといふ有様でした。ペルセウスはこれを利用して目を横取りし、グライアイを脅迫してゴルゴーンの居場所を訊きだしたのでした。

さて、そこに行つてみると、ゴルゴーンは丁度眠つてゐるところでした。しかしその顔を見ることはできません。ペルセウスが困つてゐると、アテーナーが鏡のやうに磨きあげた楯を貸してくれました。そして、「ゴルゴーンを直接見ては駄目ですよ。この楯に写つた姿を見ながら近づいて首を切り落とすといいわ」と教へてくれました。ヘルメースは鋼の鎌を貸してくれました。そこでペルセウスは不死身でないメドゥーサを狙つて簡単に首を切り落とすことができました。ところが首が胴を離れるやいなや、物凄い音を立てて血しぶきが吹き上がり、空を血の色に染めてしまひました。ゴルゴーンの他の二人はこの音で目を覚まし、首を切られた妹を見ると怒り狂つて降り注ぐ血の雨の中を飛びまはりました。しかしペルセウスは隠れ兜をかぶつてゐたのでゴルゴーンに見つかることなく、そのまま空を飛ぶ靴で飛び去つてしまひました。

意気揚々と帰る途中でペルセウスはエチオピアの上を通りましたが、ふと気がつくと、海岸の岩に美しい少女が縛りつけられてゐました。それはこの国の王女アンドロメダーで、海の怪獣の禍ひを除くため生贄《いけにへ》にされようとしてゐたのでした。ペルセウスは早速英雄らしい俠気を起こして怪獣を退治し、王女を妻に貰ひ受けることにしました。どんな恐ろしい怪獣もゴルゴーンの首を見せるとひとたまりもなく、その姿のままの巨大な石になつてしまつたのです。ところが怪獣が退治されたと聞いて怖いものがなくなつたアンドロメダーの婚約者の一派が、アンドロメダーを渡すまいとしてペルセウスに襲ひかかつてきました。ペルセウスは慌てず、ゴルゴーンの首を出して見せましたので、この連中も武器を振りかざしたまま石になりました。

アンドロメダーを連れて母親ダナエーのもとへ帰つてみると、ポリュデクテースがいやがつて神殿に逃げこんだダナエーを兵糧攻めにしてゐるところでしたから、ペルセウスは激怒して例の首を袋から取り出し、ポリュデクテースとその軍勢を一遍に石に変へてしまひました。ペルセウスはこのあと美しい妻アンドロメダーと楽しく暮らすはずでしたが、ここに厄介なことが生じました。といふのは、恐るべき「石化能」をもつたゴルゴーンの首が評判になると、人人はペルセウスを疫病神のやうに避け、皆顔を背けて近づかうとしなくなつたのでした。これにはペルセウスも困つて、アンドロメダーの勧めでゴルゴーンの首をお礼としてアテーナーに捧げることにしました。アテーナーは喜んでこれを受け取り、自分の楯の真中に紋章のやうに嵌めこんでしまひました。それでこの女神の楯は大変な威力をもつものになつたわけです。

このことが知れわたると神々は恐慌を来たしました。

「一体あの娘はどういふつもりかね、あんな恐ろしげなものを楯に嵌めたりして」とゼウスが呆れたやうに言へば、ヘーラーは鼻を鳴らして言ひます。

「あなたが勝手に生んだ娘だけあつて、女とは思へない結構な趣味をもつてゐるやうね」

「そんなことより」とヘルメースが神々の心配の種をゼウスに訴へました。「あの楯の真中でくわつと目を剝いてゐるメドゥーサの首ですがね。噂によるとあれは死んでも石化能だけは失はないさうで、その証拠に髪の毛の蛇はいまだに生きて蠢《うごめ》いてゐるといふぢやありませんか」

「蛇がまだ動いてるつて、誰が見てきたんですか」と無邪気なアプロディーテーがヘルメースに尋ねました。

「それはまあ単なる噂ですがね。しかしそれにしてもアテーナーがあれを振りかざして勝手なことをやりはじめたら大変だ」

「あれは賢い娘だから馬鹿な真似はしないだらう」

「それが早速その楯を掲げて正義だの理性だのと偉さうなことを言つて歩くので、人間どもはもとより我々だつて大いに迷惑してるんですよ。何しろ石化能は神にとつても恐ろしいものですから」

「相変はらずあなたは臆病ね。神がゴルゴーンを見て石にされるわけがないでせう」

「いやそれが奥さん、ゴルゴーンの首は神だつて石に変へる強力無比の石化能をもつてゐるさうです」

「それが本当かどうか、アポローンにでも確かめてきてもらつてはどうかね」

「アポローンは頭痛がすると言つてデルポイから出てきませんよ。きつと奴だつて怖いのです」

かういふやりとりを陰で聞いて誰よりも頭に血が上つたのは軍神のアレースでした。この粗暴な神は正義風を吹かすアテーナーとは仲が悪く、とりわけアテーナーの助けを借りたディオメーデースといふ英雄と闘つた時神の身で不様な負け方をして大怪我をしたことが忘れられず、折あらば高慢なアテーナーに一泡吹かせてやらうと思つてゐました。そのアテーナーがゴルゴーンの首を手に入れたと知ると、アレースは自分も負けずにゴルゴーン姉妹の首を手に入れようと焦りました。しかし残つてゐる姉妹は不死身と言はれてゐますし、恐ろしい石化能を避けながら首を切り落とす算段もつきません。そこへ耳よりな話をもちこんだのは、情婦である争ひの女神エリスで、その話といふのは、ゴルゴーンの石化能で石にされた人間には相当な石化能が残るらしいから十分ゴルゴーンの代用品になる、といふものでした。アレースはエリスと一緒になつて人間たちを脅し、ゴルゴーンの前に追ひたてました。そして何百人もの人間がたちまち石になると、二人は目隠しをしてこの石を掻き集め、大きな袋にはふりこみました。それをかついで帰つて、試しにこの石を人間が集まつてゐるところに投げてみると、確かに効き目がありました。

「かうやつて石で石を増やしていけば、アテーナーの奴には負けないぞ」

かう言ひながらアレースは手当り次第に石化能をもつた石を撒《ま》きちらしては石を作り、今度アテーナーと一戦交へる時にはこの大量の石で生き埋めにしてやると息巻いてゐました。アレースを見かけると人間たちは目を蔽つて逃げまどひ、あるいは地に伏せてひたすら祈るばかりでした。アレースが暴れまはつてゐるとアテーナーもやつてきて、こちらは正義と平和のためと称して例の楯を持ち出しますから、石になる人間は増える一方です。人間たちはなぜか大挙してアテーナーのところに押しかけ、禍ひの原因を作つたことを責めて、その楯のメドゥーサの首を取り外してもらひたいと要求しました。アテーナーは人間たちが自分だけを責めてわめきたてるのに怒り、この楯の威力がなくなつたらアレースの暴虐には手がつけられなくなるのがわからないのかと言つて、その正義の楯をますます高く掲げるのでした。

　そのうちに石化能の禍ひは神々にも及び、関節の痛みを訴へる神が増えてきました。何百年か経つとリューマチのやうに関節が固まり、さらに何千年か経つと全身が石になつてしまひました。かうして神々は滅びましたが、人間は数が多かつたので生き残りました。石化した神々はやがて石化能も失つてただの石になりはてたといふことです。

教訓　神々にもアレルギーはある

ねじまき鳥に導か
村上春樹の拓く新
僕は少しずつ核
笠原メイは遠い
間宮中尉はもう
そして新しい人
伸べる。でも僕
闇の奥底から、
ができるのだろ
ねじまき
第3部
◎定
8月2

故郷

昔、ある貧しい村の貧しい家に生まれた男がありました。長ずるにつれて、自分は本来どこか外《ほか》へ生まれるはずだつたのが、鸛《こふのとり》が赤ん坊の自分を嘴《くちばし》にくはへて運ぶ途中、間違へてこんな家に落してしまつたのだ、と思ふやうになりました。そして一念発起して家を出ると、海を渡り、都で苦しい歳月を頑張りました。二十年経ちました。気がつくとこの男は今では大金持で、誰もが帽子を取るやうな身分になつてゐました。自分のそばにゐる美しい妻は、同じやうに財産のある立派な家柄の娘でした。

ある時、妻はアラビアの商人から買つたといふ珍しい鏡を見せました。商人の口上によると、人間誰でもその人の神を背中にしよつてゐるのださうです。白人の神は白く、黒人の神は黒く、その人の生まれた土地と血筋を表はして、人毎に顔も姿も違ふといひます。その鏡を早速妻に向けてみると、若い妻の後にその母親ほどの年配のふくよかで賢さうな貴婦人風の神様が映つてゐました。しかし、別に妻の母に似てゐるといふわけではありません。次に男は自分の神様を映してみました。こちらはいかにも風采の上らない中年男で、どことなく卑しい貧苦の翳《かげ》があるやうに見えました。男は自分の生まれの正体をそこに見たやうな気がして恥ぢました。しかし自分が貧しい村の貧しい家の生まれであることは日頃妻にも話してありましたので、妻はさして気にした様子もありませんでした。

男は自分の神様を見て、父親のことを考へました。父親の顔はもうほとんど思ひ出せませんが、なぜかその中年男の神様のやうな顔だつたにちがひないといふ気がしたのです。そのこと

を妻に話すと、妻は、

「いつまでもお父様や妹さんたちを放つておいてはいけませんわ」と言ひました。

故郷の村には、年老いた父親と女盛りの妹がゐるはずでした。妻を相手にいろいろと話してゐるうちに、男は一度故郷に「錦を飾る」のも悪くあるまいといふ気持が固まり、妻を連れて二十年ぶりで帰省することになりました。

道道、男は思ひ出せる限りの貧しい村の様子を妻に話して聞かせ、失望をやはらげておかうと気を遣ひました。しかし自分が生まれた寒村に着いて、石ばかりの荒れ果てた土地に崩れかけた家がへばりついてゐる風景を見ると、男も思はず息を呑んでしまひました。道ばたに昔からゐた蹇《ゐざり》が今もゐて、男が話しかけると鴉《からす》が啼くやうな声で答へました。

「石屋のフリッツのことかね。仕事はとつくの昔にやめて、今ぢや飲んだくれるばかりで、娘のアンナと旅籠《はたご》をやつてまさあ。勿論、あんなところに泊まる客なんてめつたにありやしねえ。息子のカールは当分娑婆《しやば》へは出てこられねえ。アンナは家にゐるよ。あれの生んだ餓鬼も二人一緒にゐる。生ませたのは親爺かカールか、どつちかに間違ひねえが」

話を聞いて男は顔が石のやうに堅くなりました。カールといふ兄がゐて、人殺し以外の悪いことは何でもやつてのける札付きの男だといふことは妻にも隠してゐたことでですし、妹のアンナの子供の件は論外で、思はず耳を蔽ひたくなりましたが後の祭でした。

その晩、男は妻と召使の者を町のましな宿屋に泊まらせて、自分一人で父と妹のゐる家を訪ねることにしました。さすがに妻は心配さうに夫の顔を見ましたが、夫がひどく思ひつめてゐる様子なので何も言ひませんでした。

日が落ちると村は死の世界のやうに暗くなつて、その中で人魂を思はせる燈の洩れてゐるのが男の生まれた家でした。家の中から子供の泣き叫ぶ声が聞えました。

「今晩は」と言ひながら戸を叩くと、女が出てきて胡散臭さうに男を睨《にら》みました。男はとても自分の正体を明かす気にはなれず、道に迷つて難渋してゐる旅人だといふことにして、一晩泊めてもらひたいと頼みました。すると女はやつと愛想笑ひらしいものを見せましたが、すると獣じみて胸が悪くなるほど醜い顔が一層不気味に歪《ゆが》むのでした。奥の方に、これまた獣のやうなものが黒くうづくまつてゐるのがどうやら父親のやうでした。男は正視に耐へられぬものから目をそむけ、そそくさと鞄を開けて、子供たちと老人に、と言つて何枚か札をやりました。それから例の鏡を出して、髪を整へるふりをしながら、父と妹の後に控へてゐるはずの神様を映してみました。自分の神様とは違つてゐることを確かめて安心したい気持があつたのですが、鏡の中には、猿とも人間ともつかぬ顔が映つてゐました。男はこの家の壁が崩れるほどの声を出して叫びたくなるのをやうやく抑へました。

粗末な食事が済むと男は二階の部屋に上げられましたが、勿論眠るどころではありません。真夜中に、下で獣たちのざわめく気配がしました。戸の隙間から様子をうかがふと、父と妹が薄気味の悪い声で何やら相談してゐます。「金」とか「鏡」とかいふ言葉が耳にはひりました。

そのうちに父親の手に光る物が見えました。肉切り包丁でした。

男が寝たふりをしてゐると、やがて階段を上がつてくる足音がします。戸が開いて、はひつてきたのは妹の方でした。刃物は持つてゐないやうです。男が起き上がらうとすると、相手は世にもいやらしい笑ひ方をして、自分の胸をはだけ、さらにスカートの下にあるものを見せながら男に抱きつかうとしました。男は醜悪さと臭気とに今度こそ我を忘れて絶叫しました。そして女を突き飛ばして逃げようとする、そこへ父親の方も包丁を振りかざして飛びこんでくる、といふ騒ぎの最中に、誰かが表の戸を激しく叩く音がしました。男は二人の相手がひるんだ隙に窓から飛び下りて、そのまま気を失つてしまひました。

夜が明けました。気が付くと男は立派な寝台に寝てをり、そばには涙を浮かべた妻の顔がありました。妻の話によれば、あのあと妻は、放つておいては夫のためにならないと思つたので、多少の縁故のあるこの地方の有力者に話をして、役人の手を煩はしてもらつたとのことでした。「その時にこれが役に立ちましたわ」と言つて妻は自分の後にゐるはずの神様を指差しました。「それにしてもあんな鏡で自分の神様なんぞ見るものではない」と男は言ひました。「生まれ故郷だとか、肉親だとか、何を血迷つて訪ねていつたのか」

男と妻が自分の家に帰つてしばらく経つた頃、裁判所から報告が来て、例の父と娘が縛り首になつたことがわかりました。過去に同じ手口で悪業を重ねてゐたことが露顕したとのことですが、驚いたことに、二人の告白によると、あの夜二人が襲つた人間が、二十年ぶりに帰つてきた息子であり兄であることは承知の上だつたといひます。それを聞いてからは、男は自分の肉親や故郷のことを忘れて幸せに暮らすことができるやうになりました。

教訓　汝のルーツを求めるべからず

パンドーラーの壺

プロメーテウスが天上の火を盗んで人間共に与へたことを怒つたゼウスは、腹いせに、それも一筋縄ではいかないプロメーテウスの代りに、弟のエピメーテウスと人間共に意地悪をしてやらうと思ひたちました。それで腕達者のヘーパイストスに命じて、泥をこねてパンドーラーを創らせました。パンドーラーはその名の如く、神々からすべての賜物を与へられた女で、女神顔負けの美しさを始め、女として望ましいものは何から何まで備へてゐました。ただ、アテーナーだけは、ゼウスの稚気にはうんざりしてゐたのと、女にはそれが必要であることを認めなかつたのとで、パンドーラーに賢明さを贈るのを見合せました。

さて、エピメーテウスは、「あとから考へる」といふその名の通りの人物でしたから、この魅力的なパンドーラーを見ると、神々から贈物をもらつてはいけないといふ兄の忠告も馬の耳に念仏で、早速パンドーラーを妻にしました。

パンドーラーは知恵はない代りに好奇心だけは有り余るほど持つてゐましたので、地上に着くが早いか、絶対に開けてはならないと言はれてゐた壺の蓋を取つて中に何がはひつてゐるか知らうとしました。それを見て、プロメーテウスが悲痛な叫び声をあげ、必死で蓋を抑へましたが、もう間に合ひません。

一説によると、壺からあらゆる禍ひが飛び出して世界中に広がつたと言はれます。そして辛うじて「希望」だけが壺の中に残つたのださうです。また一説によると、壺から出て行方知れずになつたのはすべての善いもので、あとには情ない「希望」だけが残つたとも言はれます。

でも本当はもつと厄介なことが起こつたのでした。

壺から飛び出して世界中に広がつたのは女にとつての禍ひなのでした。つまりそれは「嫉み」といふもので、地上の女たちは、まづパンドーラーといふ、この地上で最初の美しい女を美しいと認めて胸を掻きむしりたくなる思ひに駆られ、それからお互に美醜を評定しては嫉みあひました。プロメーテウスは困つて、壺の中に残つてゐたものの中から「己を知る」といふ劇薬を取り出すと女たちにばらまきました。しかしこれは効きめが強すぎて、女たちの中には自分の醜さを知つて自殺するものが続出しました。このままでは地上の女たちは一人残らず自殺して、この地上にパンドーラーだけが最後の女となつて残ることになりかねません。プロメーテウスが壺の中を覗いてみると、まだ「希望」が残つてゐました。プロメーテウスはこれを最後まで取つておいた「先見の明」に満足しながら、世界中の女たちに「希望」をばらまきました。その結果、自殺は止みました。女たちはお互に嫉みあひながらも自分の醜さに絶望することはなくなり、誰もが自分も満更ではないと思つて生きていくことができるやうになりました。

一方、エピメーテウスは兄のプロメーテウスがかうして人間の世話を焼いて苦労してゐるのにもとんと無関心で、同じやうに無邪気なパンドーラーに夢中になつてゐて、二人はこの地上で最初の幸福な夫婦として暮らしたとのことです。

教訓　神々は女に妬みとうぬぼれを贈つた

ある恋の物語

昔、ある王様に娘が三人ありました。三人とも大層美しい娘でしたが、わけても末娘のプシューケーは美の女神のアプロディーテーも顔負けと思はれるほどの美女でしたから、人々は宮殿に押しかけてプシューケーの美しさを称《たた》へ、女神の神殿の方はすつかりさびれてしまふ有様でした。

美の女神はこの侮辱に怒り、人間の分際で神を凌ぐほど美しいプシューケーを懲らしめてやらうと思ひたちました。そこで息子のエロースを呼んで、人間にも神々にも恋心を起こさせる例の矢で、あのいまいましい娘に世にも醜い男に恋をさせるやうにと命じました。エロースは悪戯ができるのを喜んで早速プシューケーのところへ行つてみると、今まで世界中で一番美しいと思つてゐた母親以上に美しい娘を見て驚いたそのはづみに、例の矢で自分の胸を傷つけてしまひました。

たちまち胸の傷口から恋の毒が全身に廻り、エロースはプシューケーに夢中になつてしまひました。これまでさんざん人や神々に矢を放つて恋を撒き散らしてきたエロース御本人は、まだ恋がどんなものであるかを知らなかつたのですが、自分がその虜《とりこ》になつてみると、胸の甘美な痛み、恥づかしさと喜び、不安と希望が一緒になつて、身の置きどころもない思ひで、自分が神々の一人であることも疑はれるほどでした。それに何よりも、母親のアプロディーテーにこの不首尾を叱られるのが怖くて、エロースはそのまま身を隠してしまひました。

アプロディーテーの方は、あのいまいましい小娘がどんな愚かな恋に陥ることかと楽しみにして待つてゐましたが、プシューケーはいつかうに恋をする様子もなく、世の男たちは相変はらずプシューケーを称へてゐます。しかしどういふわけか、この絶世の美女と結婚しようとする男は現れません。実は陰でエロースが、プシューケーに男たちが手を出さないやうに気を配つてゐたのでした。そのうちに姉二人は隣国の王子に輿入れしていきました。ところが一番美しいプシューケーにはいつまでも縁談がないので王様とお妃は心配になり、アポローンの神殿に人を遣《や》つて神託を伺はせました。

神託は恐ろしいものでした。それによると、プシューケーには喪服をまとはせて青髭の怪物に嫁がせなければならないといふのでした。勿論、事がさう運ぶやうにアポローンに話をつけておいたのはエロースでしたが、プシューケーはこの神託を聞いて嘆き悲しむ両親を慰め、自分は喜んでその運命に従ふつもりだと言ひました。プシューケーは美しいばかりではなく並み外れて知恵と勇気のある娘で、自分はその運命を相手にしてうまくやつていけるといふ自信があつたのです。

青髭といふのは山の上の古いお城に住む謎の王族の一人で、これまでに何人もの娘と結婚しては離縁してゐましたが、その離縁された妻はみな行方知れずになつてゐるとか、妻たちはみな喉を掻き切られて殺されたとか、恐ろしい噂が広まつてゐました。

青髭との婚礼が決まつてからも、王様は娘の身を案じて、万一の時には選り抜きの軍勢を差し向けるからと言つてくれましたが、プシューケーは笑つて言ひました。

「お父様、そんな心配はいりませんわ。アポローンの神が私をひどい目に遭はせるために青髭と結婚させる筋書を書いたりするでせうか。これにはきつと何か訳があるに違ひありません。また、神々が本当に私を憎んで命を奪ふおつもりなら、どんなに逃げても無駄といふものです」

父王はプシューケーが美しすぎることを今更のやうに嘆きながらも、結局は娘の言ふ通りにするしかありませんでした。

さて、婚礼の日に喪服を着たプシューケーは山の上のお城に置きざりにされました。夜になると青髭が現れて、プシューケーを豪奢な寝室に連れていきました。この花婿は見るも恐ろしげな青髭が顔中に生え、胸にも背中にも青い剛毛が渦巻いてゐて、まるで青銅の怪人といつたところでした。でもプシューケーにはなぜかこの青髭がそれほど恐ろしい怪物だとは思へませんでした。それは青髭の物凄さや声の荒々しさにもかかはらず、その目の奥にふとおづおづした色が見え、態度にも虚勢を張つてゐる気配が感じられたからでした。

青髭の夫はプシューケーに厳しい調子で言ひ渡しました。

「どんなことがあつても私の本当の姿を見ようとしてはいけない。もしもそんなことをしたらお前は命を失ふことになる」

「本当のお姿とおつしやいますが、それは今のお姿よりももつと恐ろしいものでせうか」

「さうだ」

「私にはさうは思へません。あなたは本当はお優しい方のやうに思へてなりません」

青髭はちよつと狼狽したやうでしたが、すぐ厳しい顔をつくつて、「私を甘くみてはいけない。くれぐれも言つておくが、真夜中に明りをつけて私の寝顔を見たりしてはならぬ」と言ひました。

その夜、プシューケーは闇の中で床入りして、青髭の姿からは想像もできない優しい愛撫を受けましたが、その優しさはまるで白い鳥の羽根に包まれるやうでもあり、その柔らかな肌は生まれたばかりの赤ん坊に触れるやうでもありました。ところが肝腎の夫婦の契りができたやうには思へませんでした。

それから、来る日も来る日もプシューケーは昼間は姿の見えない召使たちに傅《かしづ》かれて過し、夜になると闇の中で夫の愛撫を受けるのでしたが、夫婦の契りに至らないことは最初の夜以来変はりがありませんでした。不審は募るばかりで、たうとうある夜、プシューケーはかうなつたら青髭の正体を見ないわけにはいかないと決心しました。そして明かりをつけました。

同じ寝台に丸くなつて寝てゐたのはあどけない顔をした美少年のエロースでした。「まあ可愛い」と思はずプシューケーは小さな叫び声を上げました。寝台のわきにはエロースの肩から外した純白の翼が置いてあり、壁には例の悪戯に使ふ弓と矢が懸けてありました。プシューケーは用心深くこの翼と弓矢を隠してから、眠りこけてゐるエロースを裸にして好きなやうに愛撫を加へてみました。しかしエロースはまだ子供でした。夫婦の契りができなかつた訳を知つたプシューケーが軽い失望と悪戯心からエロースの純潔のしるしを引っ張つたのでエロースは目を覚ましました。自分がされてゐることを知ると、エロースは真赤になつて逃げ出さうとしましたが、翼も弓矢も見当りません。たちまちプシューケーにつかまつて抱きしめられてしまひました。

「ぼくは神のエロースなんだぞ。放して。放さないとお母さんに言ひつけるよ」と叫びながらエロースはもがきましたが、プシューケーは優しく髪を撫でてささやきました。

「エロースちやんつて、こんな可愛い坊やだつたのね。それで、私に一体何がしてもらひたかつたの」

「ぼくを愛して、ぼくと結婚してほしいんだ」

結婚できるはずがないのに、と思ひましたが、プシューケーはにつこり笑つて答へました。

「いいわ。でもお母様やほかの神様たちは賛成して下さるかしら」

「お母様以外は多分ね」とエロースは無邪気に言ひました。「ゼウスを始め、アポローンもアテーナーも、きみのやうな美しい人を神様の仲間に加へることをきつと大歓迎するよ」

その時、「さうは行きませんよ」といふ声とともに現れたのはアプロディーテーでした。

「何ですか、お母様を騙してこんな女と淫らなことをして」

物凄い見幕でつかみかからうとする母親からエロースは必死でプシューケーをかばひました。

色を失つてゐたプシューケーも、初めて間近に見たこの女神が、やや容色の衰へかけた中年の婦人で、またそれほど賢さうに見えないのを知つて少し気を取り直しました。そしてエロースと一緒になつて、二人の結婚をお許し下さいと床に伏してお願ひしました。

もともとお人好しのアプロディーテーは大分怒りをやはらげたやうでしたが、それでもにこりとも笑はず、

「そんなに言ふなら二人とも一緒にいらつしやい。お前がエロースの嫁にふさはしいかどうか、まづ厳しい試験をしてあげます」と言ひました。エロースはプシューケーにそつと目くばせして、「大丈夫だよ。ぼくがこつそり手を貸してうまく切り抜けられるやうにしてあげるから」

しかし本当のところ、プシューケーにはこの無邪気な少年と結婚する気はありませんでした。隠してあつた翼と弓矢を取つてきた時、プシューケーの頭にとつさにある考へが浮び、よろめいたふりをしながらプシューケーはすばやくエロースのお尻とアプロディーテーのお尻を矢で刺しました。その効果は絶大なものでした。母親と息子はたちまち仲睦まじい恋人同士になつて、プシューケーなど眼中になく、オリュンポスの山に帰つていきました。

それからのことについては各説ありますが、真相はかういふことのやうです。オリュンポスの山では困つた事態が出来《しゅつたい》しました。何しろアプロディーテーとエロースの母子が公然と恋人同士、夫婦同士のやうに振舞ひ、アプロディーテーと情を通じてゐたアレースが訪ねていつても追ひかへされてくる有様で、神々も大いに辟易《へきえき》しました。それにこんな醜聞が世界中に広がることも憚られるので、ゼウスを中心に鳩首協議の結果、形の上だけでもエロースをプシュー

ケーと結婚させておかうといふことになり、そこでプシューケーはオリュンポスの山に招かれて神々の仲間に加へられたといふことです。プシューケーが持つてゐた弓と矢は、オリュンポスの山に上る前に焼き捨ててしまつたやうです。だからその後エロースの悪戯で神々が恋の病ひに悩まされたといふ話は聞かれません。

教訓　坊やには恋をする資格はないのです

鬼女の島

昔天竺《てんぢく》に豪商の子で僧伽多といふ人がありました。五百人の商人を船に乗せ、財を求めて南海に出て行くうちに、嵐に遭つて船は矢のやうに流され、たうとう見たこともない島に吹き寄せられました。あやふく命の助かつたことを喜びながら、ともかくその島に上陸しました。

しばらくすると、十人ほどの美女が出てきて歌など歌つて歓迎してくれます。商人たちは憂ひも忘れて、

「私共は宝物を求めて船旅に出たのですが、嵐に遭つて命からがらこの島にたどり着きました。でも思ひがけなく、どんな宝よりも美しいあなたがたを見て、今は何もかも忘れてしまひさうです」などと言ひました。

女たちは船がこはれて帰るすべもなくなつたことに同情しながら、先に立つて商人たちを自分の家に案内してくれました。その家には白い土塀がめぐらされ、いかめしい門が立つてゐます。女たちはみんなを門の中に入れると、たちまち錠を下ろしました。伽多だけはこのやり方を怪しみましたが、宏壮な邸に目を奪はれ、御馳走攻めに遭ひ、その上もつとすばらしい歓待も受けましたので、みんな極楽に来た気分になりました。気がつくと、この邸の中にはもともと男は一人もゐない様子でした。

そのうちに、商人たちはめいめい気に入つた美女を妻にしてこの島で暮らすことになり、僧伽多も美女の中のひときは美しい女と夫婦になつて、蜜の壺の中でとろける思ひの日を送つてゐました。ところがこの女は毎日昼寝をするのが習慣で、その時女にしては荒い鼾《いびき》をかきます。

それが気になつて、しげしげと寝顔を眺めると、花のやうな顔なのになぜか薄気味悪くなつてくるのでした。

　そこで僧伽多は起きて家の中を調べて歩きました。ほかの女たちも、またその夫たちも昼寝をしてゐる時刻のいやに静まりかへつた邸のどこかで、鼾とは違つた異様な声が聞えるやうな気がしました。伽多がその方へ行つてみると、厳重に錠を下ろし、高い塀をめぐらした一角がありました。塀によぢ上つて中をのぞくと、赤いもの、白いもの、喰はれて頭だけになつたもの、数へ切れない死骸が積み上げてあり、その中にはまだ息のあるのも混つてゐて、それが呻き声を発してゐるのでした。

　その生きてゐる人の一人に僧伽多は、これは一体どうしたことかと訊きました。相手は、

「私は南天竺の者です。商売のため船に乗つたところ、大嵐に遭つてこの島に流れ着きました。すると世にも美しい女どもがゐて、たぶらかされて一緒に暮らすうちに、子供も生まれましたが、あの女どもの生む子はみな女でした。やがて次の船が吹き寄せられて新しい男が現れると、私どもは御覧のやうな目に遭つて、女どもの餌食にされるのです。ここは羅刹《らせつ》の島なのです。どうか早く逃げて下さい。鬼共は昼間かならず昼寝をします。その間に逃げれば逃げられます」

　僧伽多は早速ほかの商人たちにその話を聞かせ、女どもが高鼾で眠りこけてゐる間に、先頭に立つて海岸まで逃げました。そこへ沖の方から巨船よりも大きな白馬が泳ぎ寄つてきました。

男たちがみなこの白馬に乗つて海を渡らうとしてゐると、目を覚ました女どもが浜に走り出てきました。そしてたちまち身の丈一丈余りの鬼女と変じて、恐しげに跳ねて罵り叫びました。男の中に一人、自分の妻がまたとないよい女であつたことを思つて、つい振り返つたものがありました。この男はその途端に海中に落ち、鬼女共はそれを奪ひ合ひ、体をばらばらに引きちぎつて食べてしまひました。

かうしてやうやく天竺に帰り着いた僧伽多は、祟《たた》りを恐れてこの不思議にも恐しい話を誰にもしませんでした。だが二年ほど経つたある日、恐れてゐたことが起こりました。僧伽多の妻であつた羅刹女が家に現れたのです。見れば以前より一段と美しくなつてをり、涙を浮べて僧伽多に言ふには、

「あんなに深い契りを交はして心からお慕ひ申上げてをりましたのに、どうして私を棄てて逃げて帰られたのですか。私の国ではあのやうな羅刹が時々現れて人を食べるのです。それで門には錠を下ろし、高い土塀をめぐらして羅刹がはひれぬやうにしてありましたのに、皆様が大勢で海辺へ逃げだして騒ぐものですから、鬼どもが気がついてあとを追つたのに違ひありません。どうか私を信じてお帰り下さいまし。あなたが逃げていかれてからといふもの、恋しくて、悲しくて、食べるものも咽を通らぬ有様でございます」

さう言つて女はさめざめと泣くのでした。僧伽多は思はず釣りこまれて女の言ふことを真に受けさうになりましたが、どこか白々しくて信用のできないところがありました。嘆き悲しん

で見せる割には窶《やつ》れたところがなく、輝くばかりに美しすぎるのがかへつて気味悪く思はれるのです。僧伽多はいきなり刀を抜いて女を刺し殺さうとしました。女は人の心を読む力があると見えて素早く逃げ、恨みごとを並べると、王様の御殿へ行つて、薄情な夫のことを訴へました。

大臣を始め、この女を見てその美しさに心を惑はされぬ者は一人もありませんでした。王様も御簾《みす》のかげからのぞいて御覧になると、数多《あまた》の侍女はもとより自分のお后もただの石ころかと思ふほどの玉のやうな美女でしたから、こんな美しい女と一緒に暮らさうとしない僧伽多の気持が解せず、呼び出して一体どういふことかとお尋ねになりました。僧伽多は答へて、

「この女は鬼女でございます。人間が一緒に暮らせる者ではございません。御殿に入れたりなさいますと、きつとよからぬことが起こります」と申し上げると、早々に退出してしまひました。

王様は、「をかしな奴ぢや。よし、それならばあの女をわしのそばにおくことにしよう」と仰せになつて、そのまま女を近くにお召しになりました。女の美しさはたとへやうもなく、早速床入りしたところ、その体は世にも妙なる香気を放つので、王様はすつかり夢中になつて、それから二日、三日と一室に閉ぢこもつたまま、政《まつりごと》もそつちのけで女に溺れてゐる様子でした。

この話を聞いて僧伽多は顔色を変へ、御殿に参上して、

「このままでは恐しいことが起こります。一刻も早くあの女を殺さなければ、王様のお命も危なうございます」と申上げましたが誰も耳を藉さうとはしませんでした。

その次の日の朝、女が一人で姿を現したのを見れば、目の色は変り、形相も恐しく、口のまはりを血だらけにして、しばらくあたりを見まはしてゐたかと思ふと、空に駆け上つて雲の中に姿を消してしまひました。人々が変事を察して王様の寝所に行つてみると、御簾の下から血が流れてゐます。そして御簾の中には首が一つころがつてゐるだけでした。王様の体は鬼女に食はれてあとかたもありませんでした。

宮中は大騒ぎになり、人々は泣き悲しみましたが、その日のうちに王子が国王の位に就きました。若い王様は早速僧伽多を呼んで話を聞きました。僧伽多はあの羅刹のゐる島の話を詳しく申上げ、かうなつた上は自分に羅刹どもを討たせていただきたい、そのために太刀を持つ武士を百人と弓矢を持つ武士を百人、早船に乗せて出していただきたいとお願ひしました。

「それだけで大丈夫か」と若い王様は心配してお尋ねになりましたが、僧伽多は、

「大丈夫でございます。鬼とは言へ、所詮は女。私に策がございます」と申上げました。

早速僧伽多は軍兵を率ゐて船を出し、南海の羅刹の島に向かひました。やがて嵐に遭ひ、船は目ざす島に流れ着きました。島に着くと、僧伽多はまづ商人の姿をさせた者を十人ばかり上陸させました。するとこの前のやうに、美しい女が現れて歌を歌ひ、男たちを誘つて厳重な土塀をめぐらした邸に引き入れ、やがて床入りをして、歓を尽したあと昼寝をしてしまつたやう

でした。

僧伽多はこの時とばかり、二百人の軍兵を率ゐて邸に躍りこみ、寝ぼけまなこの女どもに襲ひかかりました。初めはか弱い女の哀れな様子を見せて男どもをためらはせましたが、僧伽多が大声を上げて叱咤《しつた》すると、女どもはにはかに鬼女の相を現し、身の丈も一丈余に伸びて、大口を開けてつかみかかつてきました。しかし二百人の兵は、かねて言はれてゐた通り、鬼女の脚を二度三度と斬り落とし、背が低くなつたところを太刀で頭を割り、空を飛んで逃げようとする奴は弓で射落として、またたくまに皆殺しにしてしまひました。邸には火を放つてすつかり焼き払ひ、かうして恐しい羅刹の島は誰もゐない空つぽの国になりました。

僧伽多は天竺に凱旋すると、王様にこの羅刹征伐の顛末《てんまつ》を報告申上げました。王様は大層お喜びになつて、この島を僧伽多に下さることになりました。そこで僧伽多は二百人の軍兵を率ゐてこの島に移り住みました。

島はあの恐しい鬼女さへゐなければ、天然の果実があふれ、花が咲き乱れ、色とりどりの鳥が啼いてまるで極楽のやうでしたから、僧伽多とその家来たちは楽しい生活を送ることができました。ただ困つたのは女が一人もゐないことで、これでは子孫が絶えてしまひます。そこで異国の船が島にやつてくると、船に乗つてゐた男は一人残らず殺し、女たちを島に残して嫁にしました。

さういふことを繰返しながら、僧伽多の子孫が生きていくうちに、この島のことはいつか忘れられて、何百年かが経つた頃のことでした。僧迦羅といふ豪商が五百人の商人を船に乗せ、財を求めて南海に出て行くうちに、嵐に遭つて、船はかつての羅刹の島に流れ着きました。男たちが島に上陸すると、十人ほどの美女が現れて歌を歌ひ、家に招じ入れて歓待してくれるのでした。どういふわけか、この島には女たちばかりで、男は一人もゐなかつたさうです。

教訓　年を経て女は鬼に変ずる

天国へ行つた男の子

昔、貧しい百姓の男の子が村の教会で神父様の説教を聴いてゐると、「天国にはひりたいものはどこまでもまつすぐに歩かなければならない」といふくだりがありました。男の子は、これはいいことを聞いたと思ひ、そのまま教会を出て歩き始めました。どこまでもまつすぐに、家があれば通り抜け、川があれば押し渡り、丘があれば乗り越えて、どんどん歩き続けました。すると最後に都に着いて、道は立派な教会に通じてゐました。ちやうど礼拝の最中で、男の子は神々しく荘重な教会の様子にすつかり感激して、たうとう天国に着いたのだと思ひこみました。

礼拝が終つて人々が帰つたあとも、男の子は帰らうとしません。教会の下男が外へ連れ出さうとしても、せつかく天国に来たのだからと言つて動かうとしません。

神父様は下男の話を聞くと、そんなに思ひこんでゐるのならおいてやつてもよからうと言ひ、男の子を連れてこさせて、ここで働く気はあるのか、と尋ねました。

「天国といふところは働かなくてもいいんだろ? お父さんがいつもさう言つてゐたよ。早く天国へ行きたい、そしたら毎日畑に出て働かなくてもいいからつて」

神父様もこれには閉口しましたが、

「天国でも神様や天使やその召使の手伝ひをするのが務めなのだ。それがいやならお父さんのところへ帰りなさい」と言ふと、男の子は納得して、この教会に住みこむことになりました。

何日か経つうちに、みんなが聖母様の木像の前に跪《ひざまづ》いてはお祈りをするのを見て、男の子はこれが神様だなと見当をつけました。この聖母像は赤ん坊のイエス様を抱いてゐました。いつも抱いたままではさぞ疲れるだらうと思ひ、男の子は、その赤ん坊を預つてあげるから、と木像に話しかけました。そして赤ん坊を受取らうとすると、いつのまにか赤ん坊は男の子の腕の中に移つてゐました。木でできてゐるのに妙に温かいので男の子は気味が悪くて、そのまま物置にはふりこんでおきました。人々は赤ん坊がゐなくなつたことを怪しみましたが、そこは神父様が、イエス様は天なる父の御許に一時帰られたのだと言つて取り繕ひました。

男の子は聖母様の像を見てゐるうちに、ひどく痩せてゐるのが気になりました。これはきつと食事の世話をする人がゐないからだと思つたので、男の子は自分が食べるものを半分に減らし、残りを聖母様の木像にお供へして召上がつていただかうと考へました。そして毎日食べものをお供へすると、木像は男の子が出ていくが早いか、片膝を立てて坐り、人目を気にしながら、手摑みでがつがつ食べて、また素知らぬ顔で立つてゐます。男の子は物陰から一部始終を見て、あの食べつぷりからすると食事はとても足りないだらうと思ひました。そこで下男に頼みこんで残飯を取つておいてもらふことにしました。訳を訊かれた男の子は、可哀想な野良犬にやるのだと答へました。

何週間か経つと、聖母様の木像は目に見えてふとつてきました。特におなかのあたりのふくらみが目立ちます。教会に来る人々は不審に思つて気味悪がつたり、中には赤ん坊がゐなくなつたと思つたらもう次を御懐妊か、などと不謹慎なことを口にしたりする人もゐます。神父様はこれには訳があるにちがひないと睨んで、早速その訳を突きとめ、聖母様の木像がインド人のやうな姿勢で男の子の供へた残飯を貪り食ふところも見てしまひました。こんなものを見るべきではなかつたと神父様はつぶやきましたが、物は考へやうだと思ひ直し、翌日の説教の時に、「男の子の信仰篤き行為とそれを御嘉納になつた聖母様の奇蹟」といふ筋立ての話をしました。人々は驚き、感激して、それからは毎日、以前の何倍もの人が奇蹟の木像を見に押しかけてきました。

それからしばらく経つたある日、聖母様の像が初めて口をきいて、男の子にかう言ひました。「お前の親切は有難い。御褒美として、次の日曜日の晩に私と一緒に婚礼の式に出ることにしませう」

この話を男の子から聞いた神父様は悪い予感がして、「婚礼の式には神父が立会ふことになつてゐるが、私も出てはいけないだらうか。お前から聖母様に伺つてみてくれ」と言ひました。男の子がそのことを尋ねると、木像は、「駄目。お前だけ」と答へました。

日曜日の晩、神父様は万一の場合に備へて手斧を持たせた下男と二人、物陰に潜んで様子を見てゐました。男の子が木像の前に進んでいくと、突然木像は抱きつくやうに倒れかかりました。神父様と下男が飛び出していつた時にはすでに遅く、男の子はこれ以上はふとれまいと思はれるほどふとつた木像の下敷きになつて息が絶えてゐました。神父様は手斧を取つて木像に一撃を加へました。すると木像の腹が割れて、人間の腹の中にはひつてゐるのと同じ汚物が、それこそとめどなく溢れ出て、人間のと同じ臭気を放ちました。神父様は真つ青になりながらも、辛うじて下男に取片付けを命じると自分の部屋に閉ぢこもりました。
翌日、神父様は説教の時に、男の子が聖母様の像に抱かれて天国へ昇つていつたといふお話をしました。

教訓　神様とはつまりお化けなのです

安達ケ原の鬼

昔、都から修行に出た旅の坊さんが白河の関を越えて奥州に入り、安達ケ原といふところにさしかかると、短い秋の日がとつぷりと暮れてしまひました。坊さんは一日歩き続けて疲労困憊してゐたので、百姓家でも見つけて一夜の宿を頼まうと思ひましたが、あたりは草茫茫の秋の野末の景色で、人家の煙一筋見えません。次第に吹きつのる野分の中で途方に暮れてゐると、ふと向かうに鬼火かとも思はれる怪しげな明かりが見えました。

みちのくの安達原の黒塚に鬼こもれりときくはまことか

古い歌にもあるやうに、あれは鬼の棲処《すみか》かもしれないと思ひましたが、それでも明かりに引かれて坊さんは懸命に歩きました。やうやく一軒の朽ちかけた家がありました。

障子の破れから中をうかがふと、行燈の火影でおばあさんが一人、何やら口の中で歌のやうな呪文のやうな文句を唱へながら糸を繰つてゐます。ゆつくりと回る糸車を見てゐると、睡魔の糸で全身を縛られていくやうでした。おばあさんがこちらを向いたので坊さんははつと我に返り、声を掛けて一夜の宿を借りたいと頼みました。するとおばあさんは、野中の一軒家のことで、何の馳走もできないし、碌な夜着もないけれど、と渋りながらも、坊さんが、雨露さへしのがせていただければよいからと、たつて頼むのを待つてゐたやうに、簡単に承知してくれました。いかにも親切さうなおばあさんに見えましたので、坊さんも安心して泊めてもらふことにしました。

おばあさんは囲炉裏に薪をくべ、粟粥《あはがゆ》を炊いてもてなしてくれました。夕飯が済んで坊さんが旅の話などをしますと、おばあさんはそれを聞いてうなづきながら、糸車を回してゐました。

そのうちに囲炉裏の火がだんだんと心細くなつて、あばらやに吹きこむ夜風が身に沁みます。坊さんが衣を搔きあはせて震へてゐるのを見て、おばあさんは立ち上がりました。

「お客様があると知つたらもつと沢山薪を取つておけばよかつたものを。ちよつと裏の山へ行つて薪を取つてきますから、しばらく留守番をお頼み申します」

「いやいや、この夜更けにそんな御苦労をかけては申訳ない。何なら拙僧が行つてまゐりませう」

するとおばあさんは笑つて、旅の人にわかるものではないし、それに何の御馳走もないところで、せめて焚火だけが御馳走だと思つて下さいまし、と言ひながら気軽に出ていかうとしました。

坊さんは急に不安になつて、この安達ケ原には昔から鬼が棲むと言はれてゐるではないか、と例の古歌を持ち出してみました。

「そんなことがありますかどうか。でもこんな夜に鬼が外に出ることはありません。それよりも、一つだけお願ひがございます。私の帰りが遅くなつても次の間をのぞいたりなさらないで下さいまし。それだけはくれぐれもお願ひ申します」

さう言つておばあさんが風の中に出ていつたあと、坊さんはおばあさんが妙にいそいそと嬉しさうに出ていつたのが気になり、それに繰り返し念を押して行つた次の間のことも気になりはじめました。そして、やはりここは鬼の棲処ではないかといふ疑ひがまた頭をもたげてきました。気のせゐか、風の音に混つて何やら啾啾《しうしう》と哭《な》く声が聞えてくるやうでした。坊さんはそうけ立つて思はず耳を掩《おほ》ひました。それは大勢の亡者が鬼哭《きこく》の声を放つて何かを訴へるやうでもありました。しかもその声はどうやらあの開けてはならないと言はれた次の間から聞えてくるのでした。坊さんは、恐怖の余り、かへつて吸ひ寄せられるやうにして次の間の戸に手をかけました。

思ひ切り戸を引き開けたとたんに、血腥《ちなまぐさ》い臭気が溢れました。部屋の中には人間の死骸らしいものが天井に届くほどぎつしりと積み上げてありました。血にまみれて赤いもの、腐りかけて青いもの、膿を流して黄色いもの、色とりどりの死骸の山が、恐ろしい呻き声を発しながら、手足を動かし、次第に崩れてくるやうでした。その中の一つがまづ押し出されて立ち上がりました。腐りかけた顔が歯をむいて笑つたやうでした。

「鬼だ」

坊さんは無我夢中で逃げ出しました。草茫茫の野はこの世ならぬ明るさに満たされ、一面の草は走る獣の背のやうに波打つて光つてゐました。数百といふ死骸はみな立ち上がり、家の外によろめき出て、笑ふやうな泣くやうな声を発しながら、一団となつて坊さんを追つてきます。

坊さんは必死の声でお経を唱へながら逃げていきました。すると向かうの丘の上にあのおばあさんの姿が見えました。こちらに向かつて何やら叫んでゐるやうでもあり、嗤《わら》つてゐるやうでもありました。坊さんが叫び返さうとした時、後から強い力で摑まれるのを感じました。そして波に足を捕へられて沖へ引かれるやうに、血腥い海の中へ引きこまれていきました。

安達ケ原の土には、波の引いたあとの砂浜のやうに黒い血の色だけが残つてゐたといふことです。

教訓　鬼は老婆だけではありません

異説かちかち山

昔、あるところにおぢいさんとおばあさんがありました。おぢいさんが山へ行つて畑を打つてゐると、狸が出てきてからかひました。明くる日も狸が出てきてうるさくからむので、おぢいさんはその次の日、狸が腰を下ろす石に鳥黐《とりもち》を塗りつけておきました。それとは知らぬ狸は、おぢいさんの種播きをからかつてゐるうちに鳥黐がくつついて尻が離れなくなり、さんざん打ちすゑられた上、藤蔓《ふぢづる》で縛りあげられてしまひました。

　おぢいさんはこの狸を家に持つて帰り、「ばあさま、晩までにこいつを狸汁にして下され」と言つて戸口に吊しておきました。

　おばあさんが庭先で稗《ひえ》を搗《つ》いてゐると、狸は哀れな声を出して、「ばあさま、ばあさま、狸汁だけは勘弁して下され。助けてくれたならばお礼に稗搗きを手伝ふによつて、早うこの藤蔓を解いて下され」と頼みました。おばあさんは信用せず、「ふん、狸の癖に殊勝なことを言ふではないか。この藤蔓を解いてやつたならば大方わらはを搗き殺して婆汁にしてぢいさまに食はせるつもりであらう」と言ひました。すると狸は泣きながら、そんなことはしないと言つてなほもうるさく頼むので、おばあさんは信用したふりをして藤蔓を解いてやりました。そして稗が搗けてゐるかどうか臼の中をのぞいてみろと言ひ、狸が臼をのぞきこんだところを頭に一撃食はせて搗き殺してしまひました。おばあさんは狸の皮を剝いで狸汁をつくつて、おぢいさんの帰りを待ちました。

　夕方になつておぢいさんが山から帰つてきました。おばあさんが早速狸汁を進めると、おぢいさんは一口食べたとたんに小首をかしげて、「はて、をかしな味がするぞ」と言ひました。そして化物でも見るやうな目つきでおばあさんの顔を見ましたが、その目つきを見たおばあさんの方も、自分が化物にでもなつたやうにぞつとしました。

「それはきつと、狸が煮られる時に苦しがつて屁をたれたからでござりませう」とおばあさんは出まかせを言つて言ひ繕ひました。おぢいさんは、「いやわかつた。それにしてもうまいものでござる」と言ひながら、進められるままに狸汁を三椀も食べました。

そこへ兎がやつてきました。「兎どの、兎どの、お前も狸汁を食つていきやれ」とおばあさんが声をかけると、兎は跳び上がつて、「何をぬかすか、この狸婆」と叫び、「ぢいが婆汁食うた、ぢいが婆汁食うた」と囃《はや》したてました。

「何と言ふ、兎どの」と驚いてゐるおぢいさんに、「それなるはばあさまを殺してばあさまに化けた狸でござる。お前さまが食うたのはばあさまでござる」と言ふと、兎は戸口に掛けてあつた狸の皮をさらつて逃げました。そして逃げながら、「これで狸も元の姿に戻れまい」とおばあさんに向かつて毒づきました。

「それは違ふ、それは違ふ」とうろたへるおばあさんを見て、おぢいさんの形相が変つてきました。それを見て、おばあさんも本当に恐しくなつてきました。おぢいさんが包丁を持ち出して、「今度は汝を狸汁にしてくれるぞ」と叫ぶと、おばあさんはつい、「狸汁だけは勘弁して下され」と口走つてしまひました。それ見たことかとばかり包丁を振り上げるおぢいさんの剣幕に、おばあさんも今はこれまでと諦めて、命からがら山の方へ逃げて行きました。おぢいさんは途中まで追つかけてきましたが、足を挫いたので、向かうの山の兎に呼びかけました。

「兎どの、兎どの、ばあさまに化けた狸を懲らしめて仇を討つて下され」

「ばばはここにゐますぞ。狸は食べてしまひましたぞ」とおばあさんも叫びましたが、冬の山には日が差して、こだまのほかに応へる声もありませんでした。

おばあさんは泣きながら山を越えて行きました。すると兎が柴を刈つてゐました。

「兎どの、兎どの、先程はよくもひどい嘘をついてくれたな」とおばあさんが言ふと、兎はそ知らぬ顔で、「前山の兎は前山の兎。おれの知つたことではない」と答へました。おばあさんは、なるほどさういふものかと思ひ、自分の身の上を話して、どうしたらよいだらうかと相談を持ちかけました。兎は、それなら柴を沢山刈つてお土産にすればおぢいさんの疑ひも解けるのではないかと知恵をつけました。そこでおばあさんは喜んでせつせと柴を刈り、兎に手伝はせて山のやうに背負ひました。

山道を歩いていくと、うしろで兎が燧石《ひうちいし》でかちかちと火を切りました。おばあさんが、「兎どの、兎どの、うしろでかちかちといふ音がするが、あれは何でござるな」と尋ねました。兎は澄ました顔で、「婆さま、あれはかちかち山のかちかち鳥の音でござる」と答へました。そして柴に点いた火をぼうぼうと吹きました。おばあさんは、「兎どの、兎どの、今度はぼうぼうといふ音がする。あれは何の音でござるな」と尋ねました。すると兎は、「あれはぼうぼう山のぼうぼう鳥でござる」と答へて、そのまま逃げてしまひました。やがて背中の柴が燃えはじめ、だんだん熱くなつてきたので、おばあさんはやうやく兎に謀られたことを悟りました。

背中に大火傷をしたおばあさんがうんうん呻りながら山を越えていくと、兎が日向で蓼《たで》味噌を作つてゐました。

「兎どの、兎どの、先程はよくもひどい目に遭はせたな。おかげで大火傷をしてしまうた」とおばあさんが言ふと、「かちかち山の兎はかちかち山の兎。蓼山の兎は蓼山の兎。おれの知つたことではない」と答へました。おばあさんは、なるほどそれも道理だと思ひ、今度は蓼味噌を見て、「それは何でござるな」と尋ねました。兎は、「これは蓼味噌と言うて、火傷、切傷によく効く薬でござる」と騙すと、おばあさんは真に受けて、「それはちやうどよかつた。この背中の大火傷に蓼味噌を塗つてくだされ」と頼みました。兎は二つ返事でたつぷりと塗つてやりました。すると蓼味噌が火傷に沁みて、火がついたやうな痛さにおばあさんは七転八倒しました。「兎どの、兎どの、痛くて敵はぬ」とおばあさんが泣き叫んだ時には、兎はさつさと逃げてしまつたあとでした。おばあさんはまた騙されたと悟りました。

谷川の水で蓼味噌を洗ひ落してから、泣きながら山を越えて行くと、兎が杉の木を伐つてゐました。

「兎どの、兎どの、先程はよくもひどい目に遭はせたな。火傷が一層ひどくなつてしまうた」とおばあさんが言ふと、兎はそ知らぬ顔で、「蓼山の兎は蓼山の兎。杉山の兎は杉山の兎。おれの知つたことではない」と答へました。おばあさんはさう言はれてみればさうだと思ひ、「ところで兎どの、杉の木を伐つてどうするつもりかな」と尋ねました。兎は、「春が来て海も穏やかになつたから、この杉の木で舟を造つて海で魚を獲らうと思うてな」と言ひました。それを聞いておばあさんは自分も仲間に入れてもらひたいと頼みこみましたので、兎は杉の木で自分の舟を造り、おばあさんには泥を固めて泥舟を造らせました。

それからおばあさんと兎は早速海に出て舟を浮べました。沖へ出たところで、兎は歌を歌ひながら杉舟の舟縁《ふなべり》を櫂《かい》で叩きました。おばあさんも真似をして泥舟の舟縁を櫂で叩きました。

「兎どの、兎どの、舟に罅《ひび》が入つて水がはひつてきた」とおばあさんが言ふと、兎は、「もつと叩きなされ。大きな罅が入つて水がどんどんはひつてくれば魚も一緒にはひつてくる」と知恵をつけました。おばあさんがその気になつてはげしく舟縁を叩くと、やがて舟は割れて水がどつとはひり、おばあさんは、「また騙したな」と言ふ暇もなく、舟もろとも沈んでしまひました。

しばらくして死んで浮んできたおばあさんを舟に引上げると、兎は急いでおぢいさんを呼びに行きました。

「ぢいさま、ぢいさま、もう泣きなさるな。悪い狸は海に沈めてやつたぞ」

さう言つて兎はおぢいさんと一緒に婆汁を作りました。

「兎どの、この狸はばあさまの姿のままぢやなう」とおぢいさんが不審がると、兎は、「それはばあさまに化けた時に脱いだ狸の皮をおれが焼いたので、もう元の狸の姿には戻れないのでござる」と言ひました。おぢいさんはなるほどと納得して、狸汁のつもりで婆汁をたらふく食べました。そして、「さう言へば、前に食はされた婆汁は妙な味がしたが、さすがに本物の狸汁はうまい。こんなうまいものは食つたことがない」と言ひながら、何度もお代りをして、たうとう鍋の中は骨ばかりになりました。おぢいさんが頭蓋骨を掬《すく》ひ出すと、兎は、「憎い狸の成れの果てでござる。これを思ひ切り齧《かじ》つてはぐわんと叩いて、また齧つてやるがよからう」と唆しました。さう言はれておぢいさんはもつともだと思ひ、おばあさんの頭蓋骨を齧つてはまきざつぱうでぐわんぐわんと叩きました。そのうちにおぢいさんの歯はすつかり欠けてしまひました。

「兎どの、兎どの、これは何としたこと、わしの歯がすつかり欠けてしまうたぞ」とおぢいさんが文句を言ふと、兎はけらけらと笑ひながら、頭から兎の皮を脱ぎ棄てました。下からは狸の姿が現れました。腰を抜かしたおぢいさんに狸は言ひました。

「おれは前山の狸でかちかち山の狸で蓼山の狸で杉山の狸。弟の仇は取つてやつたぞ。婆汁を食はせてやつたぞ」

狸はさう言ふと山の方へ逃げていきました。おぢいさんは気分が悪くなつてそのまま寝こむと、まもなく死んでしまつたとのことです。

教訓　狸だつて復讐します

飯食はぬ女異聞

昔、ある山里に男が一人で住んでゐました。三十を過ぎても独り者でゐるので、近所の人が見かねて、「いい加減に嫁さんでももらつたらどうだい」と言ふと、男は、「もらつてもいいが、女房に食はせるのはばかばかしい。物を食はない女がゐたら世話してくれ」と言ふので、近所の人も呆れて帰つていきました。

それから間もなく、ある日の夕方、男の家に見知らぬ女がやつてきました。そして、「旅の途中で日が暮れて難渋してをります。どうか一晩泊めて下さいまし」と頼むのでした。器量のよい女でしたから男は心が動きましたが、そこはケチな男らしく、「泊めるのはいいが、うちには食べるものはないよ」と言ひました。女は、「私は何も食べないでゐられる女、泊めていただくだけで結構でございます」となほも頼みます。男は半信半疑ながら、結局その女を泊めてやることにしました。

ところがあくる朝になつても女は出ていく気配がありません。あれこれと家事や男の身のまはりの世話をしてくれる上、何も食べないでよく働きます。男はすつかり気に入つてそのままにしておくと、女はいつとはなしに男の女房になつて家に居ついてしまひました。

世の中にこんないい女房はないと思つて、男は村の人に自慢しますが、誰も信用する者はありません。ある日、仲のよい友人がやつてきて、「お前の女房は物を食はないさうだが、世の中にそんな女があるものか」と言ふので、「いや、本当だ。うちの女房は匂ひを嗅ぐだけでいいと言つて本当に何も食はないんだ」と男は得意げに言ひました。友人は顔色を変へ、「それが本当なら、お前の女房は人間ぢやないぞ。山姥《やまうば》にちがひない。一度、留守の間に何をするか見てみろ」と言ひました。

そこで男は友人の忠告に従つて、その翌日、帰りは夜になるからと言ひ残して家を出てから引返し、天井裏に忍びこみました。女は一人になると楽しげに米をとぎはじめ、三升もの米を炊き上げて、大きな握り飯を三十三個つくりました。それから鯖を三匹焼きました。男は女が自分に隠れてこんな大食ひをするのかと思ふとたまげて飛び下りようとしましたが、やつとの思ひで我慢して様子を見てゐました。女は片膝を立てて坐ると、やをら髪をとかし、脳天のところで髪を掻き分けました。なんと、そこには恐しげに裂けた口がありました。男は一瞬、女の隠し所をむきだしにされたやうな気分になりましたが、女はその頭の口に握り飯を三十三個と鯖を三匹、たてつづけにはふりこんで食つてしまひました。

男は肝を潰して思はず天井裏で失禁したところを女に見つかりました。「見たのね」と女は凄い形相で言ひましたが、男が腰を抜かして失禁してゐるのを見ると急に笑ひだしました。

「お前は山姥か」

女はうなづいて、「私の恥しい姿を見たからにはお前さんもこの口で食ひ殺してやるところだけど、この秘密を誰にも洩らさなければ特別に許してあげる」

それから男と女はもとよりも仲むつまじい夫婦になつて何事もなかつたやうに水入らずで暮しました。女は最初の約束通り家の中では何も食べず、その代りに外で何やら食べてきたものをあの口から出しては男に食べさせるのです。男は畑にも出ず、巣の中の雛のやうに女の帰りを待つて日を過すやうになりました。女の口から吐き戻される食べものは得も言はれぬ味がして、これを食べるともう普通の食べものは口にする気がしなくなるのでした。ある時男がいつそ口移しで食べさせてもらひたいと頼むと、女は例の口を見せるのを恥しがりましたが、男のたつての頼みに負けて、やがてそれが習慣になりました。

そのうちに村ではしきりに牛や馬、鶏、犬が攫《さら》はれ、最初は子供が、のちには大人までが神隠しに遭ふやうになりました。その頃から男は腹の中に異物が詰まつたやうな具合で床に伏して次第に弱つていきました。女は精のつくものをと、毎日出かけては御馳走を例の口から吐き出して男に食べさせます。ある日、友人が見舞ひに来て、戸の隙間から男と女の恐しい場面を見てしまひました。女は髪を振り乱して跳びかかると、その友人を八つ裂きにしました。男は目の前で友人が食はれていくのを見てから急に高い熱にうなされ、何日も経たぬうちにひどく容態が悪くなりました。そして苦しい息の下から女の口を求めました。女が顔を近づけると、「それぢやない」と男は言ひます。例の口を出してみせると、男は両手で唇を押し拡げるやうにして底知れない穴の中をのぞきこみながら、「最後のお願ひだ、俺を食つてくれ」と頼みました。女は承知して、男を頭から呑みこみました。

その時です。村人たちが棒や鋤《すき》を振りかざして押寄せてきました。女は見る見る金色の眼をした鬼女の姿に変り、屋根を突き破る大きさになると、村人たちをひとつかみにして例の口にはふりこみ、それから火のやうな髪を逆立てて、どこかの山へ駆け去つたといふことです。

教訓　女を食はせぬ男は女に食はれます

魔法の豆の木

昔、ある村にジャックといふ男の子が父親と二人で暮してゐました。

母親はジャックが小さい頃に家出したきり行方知れずになつてゐましたが、村では男ができて駆落ちしたといふもつぱらの噂でした。ジャックは父親から、「お前のお母さんは神様に召されて天国へ行つたんだよ。天国できつと幸せに暮してゐるさ」と言はれてゐました。さう聞かされる度にジャックは空を仰いでは、雲の上の天国で楽しさうに暮してゐる母親の姿を思ひ浮かべました。そこはジャックの村と同じやうな田舎で、丘の起伏の間を川が流れ、赤い屋根の家が点在してゐるのでした。丘の上の立派な教会には神様がゐて、天国にやつてきた人々を集めて説教してゐる姿まで目に浮かんできます。そして自分も早く行つてみたいと思ふのでしたが、一度この話を父親にしたら、父親はいつにない剣幕で怒りましたので、それからはこの話は口に出さないやうにしてゐました。

親子は一頭の雌牛をもつてゐて、その乳を市場で売つて細細と暮しを立ててゐました。ところがある日、この雌牛が突然乳を出さなくなつたもので、父親は途方に暮れました。

「かうなつたら仕方がない。牛を売るしかあるまい。今日は市の立つ日だ。お前、牛を連れていつて売つておいで」

父親はさう言ふと、悪い商人に騙されないやうにと繰り返し注意してからジャックを送り出しました。

ジャックは牛の鼻づらを取つて出かけましたが、町の城門のところで一人の老人に呼び止められました。見たこともない老人なのに、なぜかジャックの名前を知つてゐて、「おはやう、ジャック。どこへ行くんだね」と尋ねるのでした。

「市場へ行くところさ、この牛を売りにね」

「旨さうな牛だな」

「旨い牛だと思ふよ。もう乳は出さなくなつたけどね」

「気に入つた。その牛をわしに売つてくれないかね」

さう言つて老人はポケットから豆を一粒取り出しました。それを牛と取り換へようといふのでした。

「気に入つた。ジャックはたつた一粒ではお父さんに叱られると思ひ、もつと沢山でなくては駄目だと言ひましたが、老人は、

「これはただの豆ではない。こいつをまいておくと、一晩で豆の木はどんどん伸びて天まで届くんだぞ。そして天国へも登つていけるといふわけだ」と説明しました。

ジャックは天国へ行つてお母さんに会へるといふことが頭に浮かぶと、矢も楯もたまらず、その豆と牛を取り換へてしまひました。老人はその牛をやにはに引き裂いて恐ろしい勢で貪り食ひ、たちまち人間離れのした大男に変じて立ち去りました。ジャックは震へあがつて家に逃げ帰りました。

「もう帰つたのか。で、牛はいくらに売れたかね」と父親が尋ねました。

ジャックが魔法の豆と取り換へた話をすると、父親は顔色を変へて怒鳴りました。そして、

「お前のやうな馬鹿は、その天まで届くといふ豆の木を登つて天国へでもどこへでも行つてしまへ」と言つて、豆を窓から投げ捨てるなり布団をかぶつて寝てしまひました。

翌朝、空き腹を抱へてジャックが目を覚ました時、いつもと違つて朝日が差しこんでゐません。外を見ると、大きな葉をつけた太い豆の蔓がどこまでも上に伸びて雲の中に消えてゐるのでした。それはお母さんのゐる天国へ通じる梯子《はしご》のやうに思はれました。ジャックは夢中で豆の木に飛びついて、上へ上へと登つていきました。白い綿のやうな雲をいくつも抜けてどこまでも登つていくと、たうとう天の上の国に着きました。そこにはいつも想像していた通りの丘や川があり、畑が広がり、赤い屋根の家や教会のやうな建物も見えました。薄日が差して、物に影がないのは不思議な感じでしたが、あたりの風景は隣の村かどこかにありさうな、何の変哲もない田舎の風景でした。

ジャックが小川に沿つて歩いていくと、向かうから赤鬼のやうな大男がやつてきました。一目見て、ジャックはそれがあの豆と引き換へに牛を食つてしまつた老人、いや老人に化けてゐた大男だとわかりました。恐ろしい鬼の一族かもしれませんが、それでもくれた豆は正真正銘の魔法の豆でしたし、ほかに当てもなかつたので、ジャックはとりあへずこの大男のあとをつけていくことにしました。

大男は自分の家らしい一軒の大きな百姓家にはひつていきました。

「子供は来てたかい」といふ女の声が聞こえました。

「まだ一人も来てないやうだ」と男が答へると、女はせせら笑つて、

「大体お前さんの考へることは間が抜けてるよ。豆の木をよぢ登つて子供がぞろぞろやつてくるなんて」と言ふのでした。

ジャックが窓からそつと覗いてみると、男はひからびた赤ん坊のやうなものをパンにのせて食べてゐるところでした。やつぱり人食ひ鬼だ、とジャックは体が竦《すく》んでしまひましたが、この鬼が大きな口でいかにも旨さうに食べるものですから、自分がゆうべから何も食べてゐないことを思ひだしたとたんに、おなかが蛙のやうに鳴りました。

それを聞きとがめて鬼たちは振り向きました。女の鬼と目が合つた時、ジャックは思はずお母さんと叫びました。それはジャックが繰り返し夢に見てきた母親に間違ひありませんでした。もともと百姓女らしく逞しい女でしたが、今では牛のやうに太つて人間離れのした図体になり、見るも恐ろしい様子でした。けれどもジャックは、それは鬼になつたからで仕方がない、やつぱりこれはお母さんだ、と思ひ、もう一度お母さんと叫びました。

「おい、何やら言つてるぞ」

「知らないよ。あたしや、こんな薄馬鹿の子は知らないからね」と女の鬼は狼狽して言ひました。ジャックが母親に会ひたくて豆の木を登つてきたことを話すと、女の鬼は迷惑千万だと言つてさんざん罵りました。そのあげくに、お前みたいな馬鹿はうちの人に食はれてしまへばいい、とまで毒づきます。男の鬼は女房の剣幕に驚いて、

「旨さうな子供だが、お前の子なら食ふわけにもいくまい。どうだ、ジャックもここでおれたちと一緒に暮して鬼になるか」

「冗談ぢやないよ、お前さん」と鬼の女房は真赤になつて言ひました。「あの甲斐性なしに生まされた餓鬼と暮す位なら、こんなところまで逃げてきやしない」

どうやらここへ来てはいけなかつたのだといふことが、ジャックにもわかつてきました。

「やつぱりぼくはお父さんのところへ帰ります。でも時々お母さんに会ひにきてもいいでせう」

「会つて何になるんだい」と女の鬼はぞつとするほど冷たい声で言ひました。

「まあ、今日のところは帰つた方がいい。お土産に金の卵を生むめんどりでも持たせてやれ」

気前のいい男はさう言つて、不機嫌な女房に納屋から一羽のめんどりを持つてこさせると、「生め」と怒鳴つて金の卵を生ませて見せました。ジャックはそのめんどりを抱いて、悲しさうに母親の顔を振り返つてから豆の木の方へ歩いていきました。

さて、蔓を伝つて降りようとした時、つい下を見ると、ジャックは血の気を失つて倒れさうになりました。夢中で登つてくる時はよかつたのですが、いざ降りようとしたとたんに恐怖に襲はれてしまふと、もうどうにもなりません。ジャックは泣きながら鬼の家に駆け戻りました。ところが窓から中を覗いた時、寝台の上では昼間から鬼の夫婦が裸になつてあたり構はぬ声を張りあげながら睦《むつ》み合つてゐる最中でした。

悪いことに、ジャックが窓の外で動いたのが、下になつてゐた女の目に止まつたやうでした。女は凄い笑ひを浮かべてジャックに目配せしました。待つてゐろといふ合図かと思はれました。しばらくすると女が一人で出てきました。女は凍りついた薄笑ひを浮かべたままジャックに近づいて、「お母さん」と言ひかけたジャックの首を両手で摑み、鶏でも絞めるやうに一気に絞め殺してしまひました。

女はジャックの死体を納屋の藁の中に隠しておいて、その晩の食卓に子供のシチューだと言つて出しました。

「これは旨い。何と言つても子供が一番だな。あの豆の木からまた子供が登つてきたのか」

「さうだよ。ここが天国だと思つてやつてくる子供はいくらでもゐるだらうからね」

実際、その女の言葉の通りに、翌朝もまだ日が高くならないうちから、どこかの男の子が鬼の家の窓に顔をつけて中を覗きこんでゐるのでした。

教訓　子供を棄てた母親は鬼になるのです

人は何によつて生きるのか

昔、ある寒村に貧しい靴屋が住んでゐました。凶作が続いて、パンは値上がりする一方なのに手間賃は安いものですから、靴屋はその日の食べ物にも事欠く生活を送つてゐました。勿論、着るものなど満足に買へるはずもありません。防寒用の外套も一着を女房と共用してゐる有様で、その外套も今ではさんざん着古してぼろぼろになつてゐました。これでは冬を迎へることもできないといふので、女房はへそくつてあつた金をはたき、それに村の百姓たちに貸しになつてゐる修理代を取り立てて、新しい外套にする羊の皮を買ふことにしました。靴屋は村一番の阿呆で酒飲みと言はれてゐました。女房はくれぐれも百姓や皮屋に騙されないやうに、皮を手に入れるまでは酒を飲まないやうに、と注意してから亭主を送り出しました。

そこで靴屋は女房のシャツまで借りて着込み、例のぼろぼろの外套を纏《まと》つて出掛けました。ところが百姓たちは言訳を並べたり、居留守を使つたり、泣き落としに出たりで埒があかず、結局修理代のほんの一部を払つてもらふことができただけでした。皮屋に行つて掛け合つてみましたが、皮屋は案の定いい顔をせず、掛売りはお断りだと言ひました。靴屋は諦めると、寒さ凌ぎに一杯ひつかけようといふ気を起こし、昼前だといふのに、村の酒屋にはひると、さつき取り立てた金で酒を飲みました。飲むと気が大きくなります。そして寒さも忘れていい機嫌で家に帰る途中で礼拝堂の前を通りかかつた時、素つ裸の男がうずくまつてゐるのを見かけました。行き倒れのやうでしたが、まだ若い、綺麗な顔の男で、その白い肌には傷一つ、しみ一つありません。

「あんた、この辺の百姓ぢやないな。どこから来た」

すると若い男は困つたやうな顔をして、上の方を指差しました。

「さうか、天からやつてきたのか。それぢや天使だな。だがなんで裸になつてるんだ」

「そのわけは言へません」と男は震へながら言ひました。

「そんなら仕方がねえ。おれの服を貸してやらあ。おれは一杯やつたおかげでちつとも寒くないぞ。寒かつたらお前も飲め。さあ、もう一度二人で飲み直さう」

さう言つて靴屋はこの若い男を連れて酒屋に引返すと、有り金を全部はたいて盛大に飲みました。気がついた時は、女房から渡されてゐたへそくりもすつかり飲んでゐました。それからこの男を連れ、自分は裸同然の格好で家に帰つてきたものですから、女房は怒り狂つて二人の酔払ひを外へ叩き出さうとしたほどでした。しかし若い男とふと目が合つた時、男はその綺麗な顔に、なんとも言へず魅力的な微笑を浮かべました。女房はその途端に魅入られたやうになつて、

「いいよ、いいよ。この人はやつぱりお前さんが言ふ通り天使かもしれない。あんた、何か悪いことをして天から落とされた天使なんだらう」

「その点については申し上げるわけには参りませんが」と男は言ひました。「まあ大体お察しのやうなところです」

靴屋の夫婦はそれですつかり信用して、若い男を天使と決めてしまひました。

靴屋の家に天から落ちてきた若い男の天使が逗留《とうりう》してゐるといふ噂はぢきに村中に広がり、村人たち、特に色気づいた娘たちが様子を見にやつてきました。すると靴屋の女房は機嫌がよくありません。娘たちも天使がぼろを纏ひ、膝を抱へてぼんやりしてゐるのを見ると幾分失望した様子で、「綺麗な男だけど、役立たずのぐうたらみたいだし、翼がないととても天使とは見えないわね」などと言ひ交はして帰つていくのでした。役立たずのぐうたらといふのはよく当たつてゐて、実際この天使は食べること以外は何一つせず、靴屋が仕事を教へようとしても、不器用でなかなか覚えられず、せいぜい小さい子供と一緒に遊ぶのが唯一の仕事であり楽しみであるといつた生活をしながら、靴屋の家の居候になつてゐました。それでも靴屋の夫婦が文句を言はなかつたのは、この天使が居ついてからといふもの、少しづつ景気がよくなり、靴の注文も増えて、そのおかげでいつか買ひ損なつた羊の皮の外套も買へましたし、塩漬けの肉を口にする余裕も出てきました。天使は遠慮がちだからか、小食の方でしたが、それでも次第に太つて、どこかの若旦那然として、狭い家の中でごろごろしてゐるばかりでした。

ある日、突然本物の村の旦那がやつてきました。これはさすがに太つた天使などとは比べものにならない堂々たる肥満体で、見たこともない立派な皮をもつてきて、これで丈夫な長靴を縫つてくれといふ注文でした。「しくじつたら承知しないぞ」と旦那が威張り散らして帰つたあと、天使はいつになくにやにや笑つて上機嫌の様子です。靴屋の女房がそのわけを訊いてみると、天使はかう言ひました。

「あの男は注文した靴を履くこともなくあの世に行きますよ。さつき、あの男の後に私の仲間の天使が立つてゐるのが見えたのです。だから注文の長靴は止めにして、死出の旅路に履いていく靴を縫つておいた方がよささうですよ」

　さう言つてゐるところへ、さつきの旦那の下男どもが血相を変へてやつてきて言ふには、あの旦那がたつた今頓死した、そこで至急死者が履く靴を縫つてくれといふのです。女房はすつかり嬉しくなつて、さすがに天使は偉い、うちの阿呆の亭主とはまるで違ふと思ひました。天使も女房のうつとりした賞賛の目が満更でもないらしく、にはかに口が軽くなつて、自分の秘密を打明けて、かう話しました。この天使はある過ちを犯し、神の怒りを買つて翼をもがれ、裸のまま地上に投げ出されたといふのでした。そしてその時に、「人間には何があるか、人間には何がないか、人間は何によつて生きるか」といふ三つの問を与へられ、これが解けるまでは天国には帰れない、と言ひます。

「人間には何があるのかね」と靴屋が尋ねました。

「愛があるのです。奥さんは最初私を見て追ひ出さうとしましたが、愛にめざめたおかげで最初あつた死相も消えました。人間にないものは、未来を知り、とりわけ自分の死を知る力です。あと一つは、残念ながらまだよくわかりません」

　ところが、そんなことがあつてから間もなく、この地方一帯が大飢饉に襲はれました。靴屋はもとより、村の百姓も食べるものがなくなつて、つひには来年の種から鼠、土龍《もぐら》の類まで食べつくして、それでも餓死していく人が続出します。やがて恐ろしいことが行なはれるやうになりました。それは飢ゑや病気で倒れた人間を食べるといふ忌はしいやり方でした。

普通人間は、まづ牛や羊のやうな家畜を食べ、それから犬や猫などを食べ、それから死んだ人間に及びます。しかしこの村ではさらに、殺してでも人間を食べなければならなくなり、そこでまづ先の長くない病人、次に老人が殺され、それから男、子供、最後に子供が生める若い女といふ順序で人間が人間の腹の中にはひつていきました。天使は悲しさうにこの悲惨な有様を見てゐましたが、つひに例の最後の問、「人間は何によつて生きるか」といふ問に対する答を得たやうで、ある日、天使は天国に帰ることになりました。すると、靴屋が突然こんなことを言ひました。

「あんたは長いこと居候になつてたらふく食つてまるまると太りなさつた。このお礼はちやんとしてもらはねえと、あんたとしても神様に小言を言はれるんぢやないかね」

女房も執念深い目を燃やしながら天使の腕を摑んで言ひました。

「さうだとも。あんたは、人間は人間の肉によつて生きるといふ答がわかつたと思つてるやうだけど、それは正しい答ぢやないよ。本当は、あんたの方がよく知つてる通り、人間は神様によつて生きるんだよ。天使つて、神様の肉でできた動物だろ？　神様は人間が飢ゑた時には自分の肉を食はせてくれるはずぢやなかつたかい」

「それはまあさうですが」と天使は慌てて言ひました。「特に奥さんには十分お返しをしたつもりです」

「亭主の前で人聞きの悪いことを言ふんぢやないよ」と女房は狼狽して怒鳴りましたが、阿呆な亭主の方はそんなことには気がつきもしないで、

「おれにはまだなんにもお返しがねえ」と言ひました。

「とにかく、村ではあんたのことがいろいろ言はれてるんだ。このまま天国へ帰す手はないってね」

「私をどうしようといふんです？」

「御馳走にならうといふわけさ」

その時靴屋の家のまはりには村人が大勢詰め掛けて、歯を鳴らし、涎《よだれ》を流しながら待つてゐました。噂は噂を呼んで、天使の肉には不老不死の薬効があるとか、一度食べるといつまでも腹がへらないとか、いろいろなことが言はれてゐました。

やがて飢ゑた村人たちが家の中に押し入つて、天使を捕へて鍋に入れました。煮ても煮ても天使の体は崩れません。誰かが思ひついて、十字架を一緒に入れて煮ると、天使はやうやく煮崩れて、天使のスープ煮ができました。それを食べた人々は阿呆の靴屋を筆頭に、生きてゐることを忘れるほど長生きをしたさうです。

教訓　人は神によつて生くるにあらず

あとがき

近頃の小説は面白くないといふ説があります。勿論反対の説もあるでせうし、例外的に面白い小説もありますが、仮に概してつまらないといふ説を採つたとすれば、それはなぜだらうかといふ説明を要します。その説明の一つに、G・K・チェスタトンが提供してくれるものがあつてなかなか強力なものですから紹介しますと、かういふことです。

「昔ながらのおとぎ話では、主人公はいつでも尋常一様な少年でびつくりさせるのは彼の出会ふ異常な事件のはうである。……ところが現代の心理小説では、逆に主人公のはうが異様で異常なのだ。正常の中心が欠けてゐるから正常が正常でなくなつて、異常が正常になつてしまつてゐる。だから……当然その小説は平板きはまりないものになる。……現代の真面目くさつたリアリズム小説が描くのは、そもそも気ちがひである男が、味気ない世の中でいつたい何をするかといふことである」（福田恆存・安西徹雄訳『正統とは何か』）。

それではお伽噺《とぎばなし》はどうかと言へば、これもチェスタトンの言葉を借りるなら、お伽噺こそ完全に理屈に合つたもので、空想ではない、そしてお伽噺に比べれば、ほかの一切のものこそ空想的である、といふことになります。これは正しい意見で、お伽噺の世界にはきちんとした法律があり、論理があります。この法律と論理の体系が魔法ですが、魔法は整然と論理的に超現実的な世界をつくりだします。だからお伽噺の超現実の世界は合理主義に満ちてゐるのです。その文章は明確で曇りがなく、余計な心理描写も自然描写もなく、世界は整然と進行していきます。同情も感傷もこの帰結を左右することはできません。その意味でお伽噺の世界は残酷なものです。因果応報、勧善懲悪、あるいは自業自得の原理が支配してゐます。子供がお伽噺に惹かれるのも、この白日の光を浴びて進行していく残酷な世界の輪郭があくまでも明確で、精神に焼き鏝《ごて》を当てるやうな効果を発揮するからです。

しかしさういふ古いお伽噺を子供が読むことはだんだん少なくなりました。代はつて大人たちが子供に読ませたがるのは新作の童話、あるいは「児童文学」といふいかがはしい読物で、これは主人公に子供が出てきたり動物が出てきたりはしますが、チェスタトンの言ふリアリズム小説を、大人が子供を演じながら書いたもので、そこにはお伽噺とは正反対の世界があります。子供つぽい稚拙な文章でくどい描写が続き（ここのところはリアリズムです）、全体はとりとめなくもやもやした空想の産物になつてゐて、まるで長い悪夢さながらに退屈です。要するにこれは現代風のつまらない小説の児童版であるわけです。

そこでそれなら一つ古いお伽噺に倣つて、論理的で残酷な超現実の世界を必要にして十分な骨と筋肉だけの文章で書いてみよう、といふ気になつたのがこの「童話集」に手をつけたきつかけです。これが童話であつて小説でないのは、描写を通じて情に訴へるといふ要素をすつかり棄てて、論理によつて想像力を作動させることを狙つてゐることとも関係があります。「大人のための」と断つたのは、子供には毒性がいささか強すぎるのと、話の性質上思はずエロティックに傾くことがあつたのとで、大人の方により一層喜ばれさうだからです。子供読むべからず、といふわけではありません。

ここに集めた二十六の掌編はそのほとんどが有名な童話、昔話を換骨奪胎したり煮つめたりして作つたもので、そのもとになつた話は次の通りです。

1　人魚の涙　アンデルセン童話集「人魚姫」

2　一寸法師の恋　日本昔話「一寸法師」

3　白雪姫　グリム童話集「白雪姫」

4　世界の果ての泉　①イギリス昔話「世界の果ての井戸」
②グリム童話集「蛙の王子」

5　血で染めたドレス　①オスカー・ワイルド「ナイチンゲールとばらの花」（『幸福な王子』所収）
②ギリシア神話

6　鏡を見た王女　谷崎潤一郎『春琴抄』

7　子供たちが豚殺しを真似した話　グリム童話集「子供たちが豚殺しごっこをした話」

8　虫になったザムザの話　①カフカ『変身』　②イギリス昔話「カメの遠足」

9　名人伝補遺　中島敦「名人伝」

10　盧生の夢　①沈既済「枕中記」など　②柳宗元「河間記」

11　養老の滝　日本昔話「養老の滝」

12　新浦島　日本昔話「浦島太郎」

13　猿蟹戦争　日本昔話「猿蟹合戦」

14　かぐや姫　『竹取物語』

15　三つの指輪　林達夫「三つの指環の話」、『文芸復興』（中央公論社）所収

16　ゴルゴーンの首　ギリシア神話

17　故郷　シェーファー（森鷗外訳）「父と妹」

18　パンドーラーの壺　ギリシア神話

19　ある恋の物語　①ギリシア神話

あとがき

②　ペロー童話集「青髭」

20　鬼女の島　①　宇治拾遺物語　九一「僧伽多行羅刹国事」
②　今昔物語巻第五「僧迦羅・五百商人、共至羅刹国語第一」

21　天国へ行つた男の子　グリム童話集「天国の婚礼」

22　安達ケ原の鬼　謡曲「黒塚」

23　異説かちかち山　日本昔話「かちかち山」

24　飯食はぬ女異聞　日本昔話「飯食はぬ女」

25　魔法の豆の木　イギリス昔話「ジャックと豆の木」

26　人は何によつて生きるのか　トルストイ「人は何で生きてゐるか」

なほこの本にまとめるにあたつて、編集部からの希望もあり、それぞれの話に「教訓」をつけることにしました。イソップの寓話集に倣つたわけですが、勿論これは作者の思ひつきの一つを供しただけのもので、話の読み方を拘束するためのものではありません。全体として、残酷といふよりも救ひのない話が並んでゐますが、いづれも「自業自得」の世界に属しますから、愚行は罰せられ、賢い者はそれなりの正当な報いを手に入れる結果になつてゐます。これが全体を通じての教訓といふことになるかもしれません。

二十六編の話は「波」に連載したものですが、今回本にまとめるにあたつて山下清澄氏の素晴らしい銅版画を入れていただくことになりました。おかげさまで残酷さが楽しさに変じたやうに思ひます。

昭和五十九年一月

倉橋由美子

本書は「波」一九八二年五月号〜一九八三年十二月号に連載された。

大人《おとな》のための残酷童話《ざんこくどうわ》

一九八四年四月二〇日発行　一九九五年一〇月一〇日五四刷

著者倉橋由美子《くらはしゆみこ》　色彩銅版画山下清澄《やましたきよずみ》　発行者佐藤亮一

発行所株式会社新潮社　東京都新宿区矢来町七一　郵便番号162

電話　編集部(03)三二六六-五四一一
読者係(03)三二六六-五一一一　振替〇〇一四〇-五-八〇八

印刷株式会社光邦　製本加藤製本株式会社

乱丁・落丁本は、御面倒ですが小社読者係宛御送付下さい。送料小社負担にてお取替えいたします。

ISBN4-10-306904-X　C0093

価格はカバーに表示してあります。

神々の消えた土地　北　杜夫

死と隣りあわせの戦争の時代にあってこそ、かのダフニスとクロエーのような牧歌的で原初的な愛が生れた……。幻の処女作を40年ぶりに完成させた瑞々しい長編小説。　定価一三〇〇円

ドリーム・ハウス　小林信彦

この奇怪な都市・東京で、家を建てようなんて大それた小市民的な夢を抱けば!?　シニカルな批評精神と毒を含んだ笑いで描く〈家と性と死を巡るブラック・コメディ〉。　定価一三〇〇円

ひざまずいて足をお舐め　山田詠美

ストリップ小屋の楽屋で出会ったちょっと不思議な面白い子。あの子が直木賞作家になったって?――〝作家になるべくしてなった〟文学界の風雲児の半自伝的長編小説。　定価一二四〇円

鏡の影　佐藤亜紀

全世界を変えるには、ある一点を変えれば充分である――異端の学僧ヨハネスを主人公に、錬金術、異端審問論争を交えて描く、大いなる秘儀をめぐる物語。書下ろし長編。　定価一五〇〇円

むかし女がいた　大庭みな子

女の姿がよく見えない者を男という。男の姿がよく見えない者を女という――分りあえないからこそ、異性は生の泉。そのありようを自在な筆で紡ぐ《現代版伊勢物語》　定価一八〇〇円

*日本ファンタジーノベル大賞受賞
バガージマヌパナス　池上永一

なまけ者で不良、でも誰よりも島を愛する元気な美少女綾乃《あやの》が、神様のお告げを受け、ユタになるまでを描き、明朗闊達な快作と絶賛された、新しい沖縄物語。　定価一四〇〇円